MA, PA, PUINHOOP!?

Dirk Dobbeleers en Marc Hendrickx
Ma, pa, puinhoop!?

Vanaf 12 jaar

Europark Zuid 9, 9100 Sint-Niklaas, België
foon: 03/760.31.00 fax: 03/760.31.09
website: www.abimo.net
e-mail: info@abimo.net

Eerste druk: september 2007

Cover
Ann De Bode

Vormgeving
Marino Pollet

NUR 284
D/2007/6699/57
ISBN 9789059323742

MA, PA,
Dirk Dobbeleers
Marc Hendrickx
PUINHOOP!?

ABIMO
UITGEVERIJ

Onmisbaar voor dit verhaal:
de enige echte lijst met smileys

- Engel
- Boos
- Blozen
- Ondeugend
- Te gek
- In de war
- Huilen
- Duivel
- Frons
- Dom
- Kus
- Lachen
- Liefde
- Bedroefd
- Sarcastisch
- Verrast
- Ziek
- Slaperig
- Slurp
- Grijns
- In gedachten
- Tong
- Knipoog
- Gaap

♠ Illy's hoogstpersoonlijke 'aas' logo

Inhoudsopgave

[1] Zondagavond, 30 november

'Hoi, ik ben Tilly!'
Jozef Proot kijkt samen met zijn zonen Pep en Tim naar de sproetenkop op televisie.
'Hoe oud was je toen?' vraagt Jozef.
'Deze videobeelden werden een jaar of zeven geleden gemaakt,' rekent Maria Nachtegaele voor, 'Tilly was toen zeven.'
'Dat is net zo oud als ik nu', merkt Pep op. 'Wat ben jij veranderd!'
Tilly Nachtegaele knipoogt even naar de jongen. Ze mag het kereltje wel.
'Toen was het een echt engeltje!' lacht Maria. 'Hoewel dat vandaag ook nog best gaat. Nietwaar, Tilly?' Het meisje haalt de schouders op, de blik op oneindig.
'Je ma praat voor jou erbij', stelt Jozef.
Tilly glimlacht. Dat heeft Jozef goed begrepen. Wil hij het bij haar ma uithouden, dan zal hij haar eeuwige getater moeten verduren. Tilly monstert de nieuwe, grote liefde van haar ma. Drie weken tekst en uitleg blijken een goede voorbereiding. Ma mag dan heel wat woorden gebruiken, ze heeft Jozef niet opgehemeld of anders voorgesteld dan hij lijkt te zijn.
'Mag ik nog een stuk taart?' vraagt Pep, terwijl hij van de bank opstaat.

'Natuurlijk, jongen.'
Terwijl Maria voor Pep een stukje aardbeientaart afsnijdt, kijkt Tilly naar Tim. Hij heeft de afgelopen uren nog geen twee woorden gezegd. De verveling staat op zijn gezicht te lezen. Van haar ma weet ze dat Tim net zo oud is als zij, uren achter de computer doorbrengt en verzot is op doolhoven. Wie weet wat ma allemaal over haar verteld heeft, bedenkt ze nu.
'En toen was ze topless!' roept Maria.
Het meisje op het scherm kijkt verdwaasd toe hoe de zee haar bikinitopje meeneemt.
'Er niet achteraan zwemmen!' klinkt Maria's stem in de verte. Ook zij komt nu in beeld. Dan stokt de film.
'Hier heb ik het filmen gestopt,' giechelt Maria, 'het moest nog een beetje beschaafd blijven.'
Tilly knippert verveeld met de ogen. De kerel naast haar forceert een beleefd glimlachje.
'Wat is topless, pa?'
'Dat leggen we je nog wel een keer uit, Pep! Kijk maar uit dat die aardbei niet op de bank valt!' waarschuwt Jozef.
Pep prikt met zijn vorkje in de bengelende vrucht en laat hem in zijn mond verdwijnen.
'Tim, pak jij de videoband eens van onze trip naar Amsterdam, een paar jaar geleden.'
'Tuurlijk, pa', hijst Tim zich overeind.
Pep kijkt van zijn pa naar de taart en terug. Wanneer dat niet loont, blikt hij in de richting van Maria, naar de taart en terug.
'Wil jij misschien nog een stuk?' Pep knikt. 'Hij kan flink eten, die jongste van je!'
'Nog iemand een stuk taart?' vraagt Jozef. Geen reactie. 'Nog een kop koffie, Tilly? Ik heb gehoord dat jij verslaafd bent aan zwarte koffie.'

Tilly knikt. Jozef vult haar kopje. Tim duwt de band in de oude videorecorder.
Terwijl Tim zich weer op de bank installeert, komt heel even het Leidseplein in beeld. Dan tonen bibberige beelden hoe Jozef, met Pep op de nek, een van de typische Amsterdamse bruggetjes afgelopen komt.
'Dat ben ik!' roept Pep uit.
'Jaaa, toen was je een kleine Pep Proot. Weet je nog hoe ik je noemde?'
Peps gezicht verandert in een donderwolk.
'Een Prootje, of, korter nog, een protje!'
Maria lacht. Jozef, Tim en Tilly glimlachen. Pep gromt 'is niet leuk' en bijt op zijn vork.
De camera is nu duidelijk in handen van Jozef. Beelden van verschillende toeristische trekpleisters passeren de revue, al dan niet met Tim of Pep ervoor. Eén keer houdt Tim zijn jongere broer tegen wanneer die een drukke straat wil op lopen.
'Heel attent van je, Tim!' probeert Maria de zwijgzame jongeman in het gesprek te betrekken.
Tim knikt alleen maar.
'Die twee zijn échte broers', benadrukt Jozef. 'Er wringt wel eens wat, maar ze kunnen elkaar niet missen en ze zouden voor de ander door een vuur gaan. Is het niet, Tim?'
'Ja, pa', klinkt het mat.
Tilly voelt mee met Tim. Hij heeft hier duidelijk nog minder zin in dan zijzelf. Waar Tilly erin slaagt deze avond te zien als iets van haar ma, heeft Tim het er zichtbaar moeilijk mee. Tilly weet dat er niets anders op zit dan de avond gewoon uit te zitten. Eigenlijk was ze ook wel een beetje nieuwsgierig naar de nieuwe vriend van haar ma. Ze wilde graag weten waar hij woonde en hoe zijn zonen waren. Jozef had

ma verteld dat Tim een vlotte kerel was. Best mogelijk, maar dat komt er nu allesbehalve uit, vindt Tilly.
Ze wordt uit haar gedachten gehaald wanneer Maria roept: 'Wat een indrukwekkende ijscoupe!'
'Ik heb liever taart!' laat Pep zich gelden.
Tim reageert niet. Het valt Tilly op dat hij haar moeder nog geen enkele keer echt heeft aangekeken, ook al zoekt Maria regelmatig oogcontact.
'Je gaat me toch niet zeggen dat jij ook dat allerlaatste stuk wilt?' Jozef kijkt Pep liefdevol aan.
Theatraal plukt Jozef het laatste stuk taart voor de neus van zijn jongste zoon weg. Hij lijkt de aardbeienpunt ostentatief in zijn mond te stoppen, maar dropt 'm dan alsnog op Peps bord.
Tilly mag Jozef wel. Hij houdt van zijn jongens, is zacht en heeft een beetje gevoel voor humor. Eigenschappen die haar vader grotendeels ontbeert. Bovendien lijkt haar ma tevreden. Maar de avond heeft voor Tilly intussen ruim lang genoeg geduurd. Ze wil naar haar MP3-speler luisteren. Tim Proot schudt zijn warrige haren. Als hij niet af en toe bewoog, kon hij er net zo goed niet zijn. Zou Tim nu hetzelfde denken als ik, vraagt Tilly zich af. Muziek in het hoofd en even geen mensen meer.
Ze wordt gered door haar ma.
'Al zo laat? We moeten ervandoor.'
Iedereen staat op.
Maria aait Pep over zijn bol. 'Tot de volgende keer, snoeper!' Ze draait zich om naar Tim. Die steekt strak een hand uit. Maria schudt hem ferm. 'Hou je taai, Tim!' Dan richt ze zich tot Jozef. 'Het was héél leuk. Fijn om eindelijk kennis te maken met de kinderen.'
Maria kust Jozef op de wang. Tilly houdt zich bewust wat

afzijdig tijdens het afscheidsritueel. Ze geeft Jozef een hand en knikt naar de twee jongens.
'We bellen morgen wel', zegt Maria.

'Zo, kerels, dat was dan dat. Pep, voor jou is het de hoogste tijd om naar boven te vertrekken. Tanden poetsen, pyjama aan en... je bed in.'
Pep sputtert niet tegen. Hij heeft een geweldige avond gehad. Lekker veel taart, oude filmpjes kijken, aandacht en drukte in huis. Hij geeft zijn pa een smakkerd, wenst zijn broer welterusten en danst voldaan de trap op.
'Blijf jij nog beneden, Tim, of ga je naar je kamer?'
'Kamer, pa. Een paar dingen voor school in orde brengen. Ik moet nog een wiskundetaak afmaken en mijn sporttas klaarzetten. Morgen heb ik volleybal.'
Tim vertrekt.

Terwijl hij de videoband met het opschrift 'Amsterdam' opbergt, evalueert Jozef in gedachten de avond. Niet gemakkelijk, een eerste confrontatie met elkaars kinderen. Hij zag er best tegenop. Maar het ging wel goed. Tim was wat stil, maar hij is verstandig genoeg om het te begrijpen.
Rustig slentert Jozef naar de koelkast. Hij schenkt een koud biertje uit en zakt onderuit op de bank. Bizar eigenlijk. Enkele minuten geleden zat hij hier voor het eerst in vier jaar en drie maanden met een partner naast zich. Jozef glimlacht. Nieuw familiegeluk dient zich eindelijk aan. Wat een opluchting. Het is toch een heel gedoe om de kinderen voortdurend van opvang te voorzien wanneer je ze als man alleen moet opvoeden.
Jozefs gedachten glijden af naar zijn werk. Omdat hij alleenstaande vader was, ging de langverwachte promotie tot

regiomanager naar Erik Daems. Als regionaal verantwoordelijke ben je zelden of nooit voor een uur of acht thuis. Ondoenlijk, hoe jammer mijnheer Vandamme, de commerciële directeur van de firma, en hijzelf dat ook vonden. Toch is niet alles verloren. Daems bakt er weinig van. Mijnheer Vandamme heeft hem al een paar keer op de vingers getikt en vroeg dan aan Jozef om bepaalde dossiers na te kijken. Als het zo doorgaat en hij werkt hard genoeg, wordt hij misschien alsnog regio manager.
Hij staat op. Vastberaden zet hij zijn lege glas op het aanrecht. 'All you need is love' neuriet Jozef zacht terwijl hij de trap oploopt. Tevreden kruipt hij onder de wol.

[2] **Naweeën**

'Zo'n eerste ontmoeting is een wat stijve gebeurtenis, en het voelt allemaal een beetje vreemd aan. Maar je hebt Jozef gezien, zijn twee zonen en het huis waarin ze wonen. Dan heb je toch een mening?'
Tilly knikt afwezig. Sprong het licht maar op groen, dan liet ma haar tenminste even met rust.
'Ik wil niet in jouw plaats denken, meid, maar Pep is een leuk kereltje waar je niet kwaad op kunt zijn. Tim lijkt me niet het type om de boel op stelten te zetten. Dat valt toch allemaal mee. Voor hetzelfde geld klikte het absoluut niet tussen jou en Jozef, of tussen Tim en jou.'
Maria kijkt haar dochter vanuit de achteruitkijkspiegel aan.
'Je ziet Jozef toch écht wel zitten?' vraagt ze.
'Tuurlijk, ma', zucht Tilly verveeld.
'In het begin zal het wel wennen zijn,' klinkt het opgelucht, 'maar als het een beetje meezit, leiden we binnenkort een heel ander leven.' Maria pauzeert even. Tilly reageert niet.
'Een beter leven. Beter dan tot vandaag, mag ik hopen. Uiteindelijk staan we er nu altijd alleen voor. En ook al is dat duizend keer makkelijker dan met je pa er bij, het weegt soms zwaar. Begrijp je dat?'
Zeven, acht, negen. Tilly laat het ene nummer na het andere verspringen op haar display. Sluiks kijkt ze haar ma aan. Die heeft het nog maar zelden over haar pa. Duizenden

woorden, slechts af en toe nog dat ene. Tilly gromt iets dat op ja lijkt.
'We zien wel. Ik weet nu dat ik op je kan rekenen. Dat je mijn keuze begrijpt.'
Maria zoekt opnieuw oogcontact.
'En dat je me steunt.'
Tilly's zwaar aangezette oogschaduw en eyeliner verbergen haar blik.

Het licht springt eindelijk op groen. Maria loodst haar Nissan naar de autosnelweg. Het snelweggeruis op de achtergrond is als de zoveelste waspoederreclame op televisie. Het is er wel, maar hersens die het al te vaak ervaren hebben registreren het niet. Beide passagiers overdenken ieder op hun manier het aangestipte verleden. Tilly's ma was amper achttien toen ze trouwde. Steven was haar grote liefde. Een stoere held, de onbetwiste koning van het atheneum. Stapelverliefd waren ze. In juni van hun laatste jaar kwam Steven al bij haar ouders inwonen. Drie weken later was ze zwanger van Tilly. Steven zocht en vond snel werk. Ploegendienst in een assemblagefabriek. Zwaar werk, maar naar arbeidersnormen goed betaald. Spoedig stonden ze op eigen benen. Tilly herinnert zich nog hoe ze 'paardje hop' speelden. Zij op papa's rug, papa op de knieën, de hele kamer door. Heerlijke tijden. Maar stukje bij beetje veranderde Steven. Het werk fnuikte hem. Er waren geen doorgroeimogelijkheden en de werkdruk nam toe. Overwerk, weekendwerk. Steven verzuurde. Hij klaagde en kankerde op alles en iedereen. Toen hij niet langer elke avond naar huis kwam, en ook in de weekends steeds vaker wegbleef, werd hij een soort gast in zijn eigen huis. Iemand die Tilly steeds minder zag en die, als hij er dan toch een keertje was, nauwelijks oog voor haar had.

Doelloos kijkt Tilly uit het raam. De beelden die haar zijn bijgebleven vormen een weinig coherent geheel van scheldpartijen, nachtelijke ruzies en het logo van pa's motorclub. Eensklaps was haar pa er niet meer. Ze verhuisden naar een kleinere woning aan de rand van de stad, ver weg van het verleden. Het hele gehannes met rechtbanken, advocaten en specialisten dat er op volgde was één lang af en aan verhaal, met honderdduizend keer dezelfde vragen en antwoorden. De rest... Tilly slikt. In de man bij wie ze om de twee weken het weekend doorbracht herkende ze haar pa niet meer. Razend was hij op haar ma. Agressief en dreigend. Dat ze twee maanden geleden besloot om niet langer bij hem op bezoek te gaan was haar keuze, niet die van ma.
En nu staat haar leven dus op het punt om weer ingrijpend te veranderen. Als ze thuis is, zal ze daarover eens uitgebreid met haar vriendin Daphne chatten.

Ronde na ronde zoeken Tims ogen hun weg naar het centrum van de historische doolhof 'Turf Maze on the Common', in het centrum van het Engelse marktstadje Saffron Walden op de grote poster die zijn kamerwand siert. Aan het einde van de zeventien circuits stond daar tot twee eeuwen geleden een es. De es brengt je in contact met je ware ik, zodat je vindt wat echt belangrijk is in het leven. Wie in verwarring raakt, kan altijd de hulp van de es inroepen.

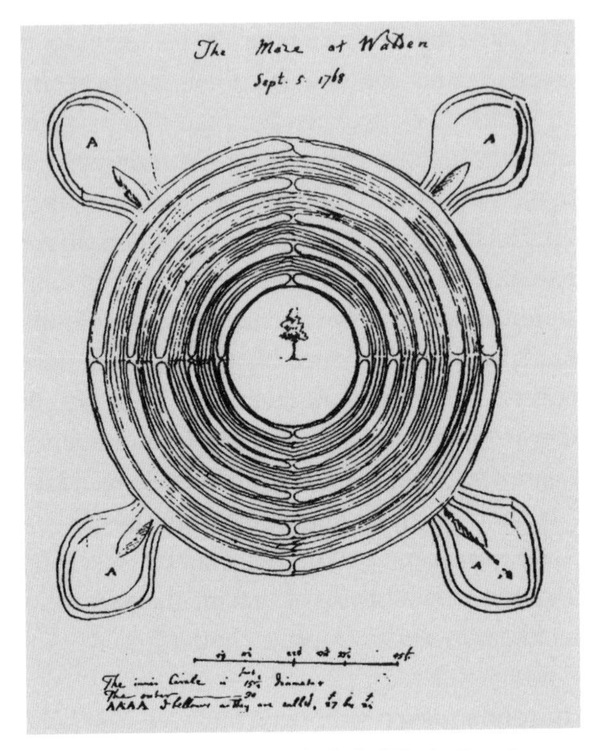

© Saffron Walden Museum/Uttlesford District Council

Tim heeft dit parcours in zijn geest al zo vaak gelopen dat het ook nu een rustgevende oefening is. Het einddoel bereikt, strekt hij zich languit op bed. De barsten in het plafond leiden nergens heen. Ze brengen zijn gedachten weer naar deze avond. Tim zucht. Het ongewenste bezoek heeft hem aan het denken gezet. Over vroeger. Over ma. Ze was mooi, dynamisch en druk. Een jaar of vier geleden verdween ze. Ze had een rijke industrieel leren kennen die haar het luxeleventje kon bieden waar ze al jaren naar verlangde.

Hij was amper elf, Pep zat op de kleuterschool. Wat moet je daarmee? Pa praat er niet over. Haar naam is nog net geen

taboe. Tim glimlacht. Die dekselse Pep. Hij versprak zich daarstraks een keer. Zei 'ma' maar voegde er vlug 'ria' aan toe. Wat zou Pep nog weten van toen? Denkt hij dat ma terugkomt? Tim vraagt het zich af. Natuurlijk komt ze niet meer terug bij pa, dat is onmogelijk, weet Tim, maar of hij en Pep haar echt nooit meer zullen zien? Misschien komt ze ooit in de buurt wonen.
Een nieuwe zucht. Verschillende van Tims klasgenoten wonen de ene week hier, de volgende daar, met twee paar ouders en stiefouders. Nee, dan is het hier beter, vindt Tim. Ze redden het best met elkaar, met drie mannen onder een dak. Daar hoeft geen vrouw bij. Begrijpen vaders dat dan niet? Dit bezoek was allesbehalve welkom. En op de koop toe is pa ook nog eens veel te optimistisch over de toekomst, een toekomst mét die vrouw. Tims gedachten maalden het hele bezoek door. Die indringster moet niet denken dat ze de boel hier zomaar ondersteboven kan gooien.
'Ik héb al een ma', mompelt Tim. 'Eén is genoeg!'

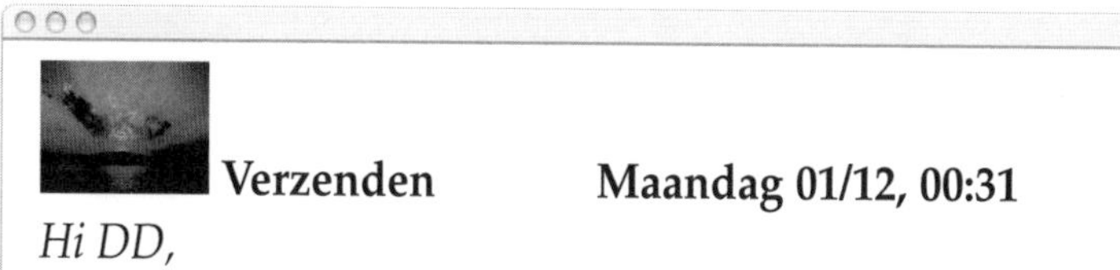

Hi DD,
t was me het avondje, al moet ik toegeven dat het meeviel
Ma ratata, ratata, ratata, zoals altijd – je weet wel
Die Jozef? Bwah, niet slecht. Echt iets voor moeders om verliefd op te worden
Zoon 1 werd geleverd zonder klank -LOL- echt, geen woord, leek me doodongelukkig
Andere is een opdondertje van 7 – cute
Ma was achteraf in alle staten
Vond ik Jozef goed?

En de kinderen?
Je kunt je er wel iets bij voorstellen denk ik
Ze had het nog net niet laten omroepen op radio en tv 😊
Nu, het was een hele opluchting voor haar dat ik me 'gedragen' heb
In vergelijking met die Tim was ik zelfs een echte tatertornado!!!
Weet je, hij heeft net zo'n 'ontplofte kop' kapsel als Athan in onze klas
Jij zou er nog kunnen voor vallen 😆
Zo – je bent weer helemaal op de hoogte

Greetz,
Illy ♠

[3] Hoor wie klopt daar, kinderen?

De Schelde klotst stevig tegen de kaaimuur. Aan de andere zijde ervan jaagt de strakke noordenwind het handjevol losse bladeren dat de Scheldedreef nog rest, op een hoopje. Met verkleumde vingers deponeert de krantenjongen een omvangrijke zaterdagkrant in de bus van nummer vijftien. Enkele honderden grammen lichter vervolgt hij zijn weg. Nu de appartementen van nummer zeventien nog. Dan zit zijn ijzige ronde er op.
Zo rustig en verlaten als het op straat is, zo intens heerst de spanning bij gezinnen met jonge kinderen. Gisterenavond is de Sint op pad geweest om de kinderen van het nodige speelgoed en lekkers te voorzien.
Jozef Proot heeft de speelgoedvrachtwagen met demonteerbare laadbak netjes uitgestald. Het achterste gedeelte heeft hij gevuld met chocolade en marsepein. De klaargelegde klontjes stopte hij terug in de suikerpot. Van de wortel beet hij met tegenzin een stuk af. Paard spelen ligt Jozef niet. Nee, dan past de rol van Zwarte Piet hem beter. Het borreltje sloeg hij in een klap achterover. Hij vond zelfs dat Piet er nog eentje verdiend had. Daarna was Jozef naar bed gegaan.

Om kwart voor zeven houdt Pep het niet langer. Hij wekt zijn broer en zijn pa. De familietraditie wil dat het speel-

goed van de Sint gezamenlijk wordt begroet. Jozef staat glimlachend op. Tim kost het heel wat meer moeite.
Pep straalt wanneer hij de cadeaus van de heilige man ziet. De vrachtwagen die hij in zijn brief gevraagd had is erbij, het dikke springtouw ook, zelfs het nieuwe spelletje voor zijn PSP. Alleen de begeerde racefiets ontbreekt, maar dat kan de pret op dit ogenblik niet drukken. Dolblij bekijkt Pep de verschillende onderdelen van zijn vrachtwagen. Tim doet zijn best om geïnteresseerd te lijken. Bij het openen van de laadbak stuit Pep tot zijn grote verrassing op een extra lading snoep.
'Nog meer chocolade!' roept de jongen uit. 'En marsepein, kijk...'
'Mag iemand die zo oud is dat hij van de Sint geen speelgoed meer krijgt daar ook van proeven?' knipoogt Jozef.
'Ja, hoor,' zegt Pep vrolijk, 'ik krijg dit toch nooit alleen op!'
'Dit stukje lijkt me wel wat', zegt Tim, terwijl hij een marsepeinen dobbelsteen optilt.
'Zeventig procent amandelen, wat een kwaliteit!' prijst Jozef de waar aan.
'Mag ik?' vraagt Pep terwijl hij alvast gretig in een chocoladefiguurtje hapt.
'Aan tafel dan', wijst Jozef de weg naar de keuken. 'Tijd voor een ontbijt met veel zoets!'
Even later zit het drietal gezellig te kletsen en te knabbelen. De thermostaat is aangesprongen en heeft de keuken behaaglijk warm gemaakt. Er is zelfs warme chocolademelk.
'Ik kan wel honderd keer achter elkaar met het springtouw!' schept Pep op. 'Dante en Arne oefenen elke dag, maar ze kunnen het lang niet zo goed als ik.'
'En nu heb ik mijn eigen touw!'

Pep grist het springtouw van de tafel. De jongen is er helemaal klaar voor.
'Klaar met eten?' vraagt Jozef overbodig. Pep knikt heftig.
'Kijk...'
'Hola! Niet hier', vermaant zijn vader.
'Laat hem een demonstratie geven, pa!' steunt Tim zijn jonge broer.
'Op de veranda dan.'
Even later laat Pep zijn kunsten zien. Tim en zijn pa kijken geamuseerd toe. De jongen doet het zeker niet slecht.
'Moet je straks naar kantoor?' vraagt Tim.
Jozef glimlacht mysterieus.
'En 100!' roept Pep.
'Tellen is niet zijn sterkste kant', grijnst Jozef.
'Wel, pa?' dringt Tim aan.
'Nee, vandaag niet. De Sint heeft nog meer verrassingen in petto.' Jozef knipoogt.

Het onregelmatige getik van het springtouw is een tijdlang het enige geluid, tot een harde roffel op het rolluik van de veranda het drietal doet opkijken.
'Er wordt geklopt. Wie kan dat zijn, zo vroeg?' vraagt Tim verrast.
'Zwarte Piet?' vraagt Pep een beetje bang.
Jozef trekt zwijgend het rolluik op.
Deel voor deel komt de silhouet van Maria tevoorschijn. Jozef opent de deur.
'Blij dat ik binnen ben!' stapt Maria de veranda in. 'Ik heb drie, vier keer aangebeld, maar tevergeefs!'
'Op de veranda horen we de bel nauwelijks', verontschuldigt Jozef zich.
'Geen probleem, schat.' Maria kust hem op de wang.

De kus en de aanspreking 'schat' doen Tim even slikken. Maria geeft Tim en Pep een stevige handdruk, buigt dan soepel door de knieën en zegt: 'Pep, er is iets vreselijk mis gegaan!' De jongen kijkt haar niet begrijpend aan.
'Ik ben hier de afgelopen tijd wel vaker geweest en de Sint is niet meer van de jongsten natuurlijk, maar dit had ik echt niet verwacht.' Maria weet er de spanning goed in te houden. Pep hangt aan haar lippen.
'Vannacht hoorde ik allerlei geluiden. Ik was een beetje bang, want ik heb zo geen sterke kerels in huis. Toen ik eindelijk naar beneden durfde te gaan, stond daar een enorm groot pak.'
Maria zwijgt even.
'En...' vervolgt ze plechtig, 'weet je wat er boven op dat pak zat?'
Ze haalt een grote, rode enveloppe uit haar jaszak.
'Pep Proot' staat er in krullerige, blauwe letters op. De jongen haalt in ijltempo een brief uit de enveloppe.
'Beste Pep', leest hij hardop. Het vervolg gaat wat moeizamer, omdat er toch een paar woorden instaan die hij nog niet vlot lezen kan.
'Sint wil je graag een ple-zier doen. Het speel-goed dat je ge-vraagd hebt, heb-ben de Pieten zorg-vul-dig bij elkaar gezocht. Maar dit heb je mis-schien nog wel het liefst. Sint.'
Peps ogen stralen.
'Nu wil je natuurlijk weten waar dat grote pak is?'
Pep houdt het niet meer.
'Ik heb het meegebracht. Het staat bij de voordeur.'
Die aankondiging is het sein voor een blinde rush naar de voorzijde van het huis. Jozef en Maria delen een hartelijke glimlach en gaan hem achterna. Tim bekijkt het tafereel met verbijstering. Bedremmeld volgt hij de anderen.

Pep scheurt het glanspapier dat om de grote kartonnen doos zit met stevige halen aan stukken.
'Mijn droomfiets! Pa, het is mijn droomfiets! Een echte racer!'
Pep is door het dolle heen.
Tim gaat achter Jozef en Maria aan de woonkamer in, om meteen door te lopen naar zijn kamer.

Pep sleurt de grote doos naar de veranda. Jozef en Maria volgen hand in hand. Pep wil zijn nieuwe fiets dadelijk uittesten, maar er moet eerst nog wat aan gesleuteld worden. In de gang trekt een spreuk Maria's aandacht. 'De wereld swingt als de pest, de rest is gemompel van bedelaars.'
'Waar heb je dat vandaan, schat?'
'Het is een stukje tekst van Remco Campert, van wie ik wel wat boeken heb gelezen', lacht Jozef. 'Ik maak mezelf wijs dat het de moeite loont om met zoveel optimisme tegen de zaken aan te kijken. Iets waar ik sinds kort weer iets meer in geloof.'
Maria kust hem teder op de wang.
Pep heeft alleen maar oog voor zijn glimmende trots van staal en kunststof. Zijn vader spoort hem aan zich warm te kleden, want de jongen wil met zijn splinternieuwe fiets natuurlijk de straat op.

'Voorzichtig, kerel, en niet de wijk uit, dat weet je!' roept Jozef zijn jongste nog na.
'Kwam Tilly niet mee?'
'Nee. Ze vond het een beetje vroeg dag.'
Een glimlach.
'Ze moet ook nog wat wennen aan het feit dat wij samen zijn.'

'Geen probleem. Kom, je ontbijt wacht.' Jozef slaat zijn arm om Maria heen.
'En jij?'
'Ik heb samen met de jongens gegeten, maar er kan nog wel iets bij!' tikt Jozef zichzelf op de buik.

Tim staart voor zich uit. Dit is Pep 'inpakken' wat Maria doet. Vals. Even vals als dat hele Klaasgedoe. Zoiets lukt haar misschien met Pep, maar hij laat zich niet zomaar omkopen! Absoluut niet, ook al dringt ze hun huis binnen zonder dat hij haar kan tegenhouden. Hoe meer Tim erover nadenkt, hoe beter hij de gebeurtenissen van de laatste twee, drie maanden begrijpt. De vele wijzigingen van het wekelijkse schema, soms op het allerlaatste moment. Hoe ze meer dan anders uit logeren moesten. Overwerken, luidde het altijd. Tim beseft nu dat het meer dan eens ging om afspraakjes van zijn pa met Maria. En nu pa uitzonderlijk een keer thuis is op zaterdag, komt zij hier in huis hun tijd wegkapen.
Achteloos droedelt Tim op de donkergroene onderlegger. Met één oog op zijn poster ontstaat cirkel na cirkel. Halverwege een zoveelste ronde stopt Tim.
Toen ze woensdag van tante Tine kwamen, had pa geklaagd hoe vervelend het vele rondrijden en opvang regelen wel waren. Pa hoopte dat de toekomst meer stabiliteit zou brengen. Stommerik die ik ben, denkt Tim. Pa bedoelde natuurlijk dat we Maria geregeld over de vloer zullen krijgen. Geweldig. Nog even en dan kan zij 'babysitten' wanneer pa moet overwerken. Zijn we helemaal klaar. Mag zij hier de scepter zwaaien. Tim vult het centrum van de cirkels die hij getekend heeft volledig op. De volle, zwarte vlek geeft perfect aan hoe hij zich voelt.

Geklop op de deur.
'Mag ik binnenkomen?' Tim herkent de stem van zijn pa. Weinig enthousiast gaat hij op de vraag in. Jozef geeft een envelop aan zijn oudste zoon. 'Voor jou. Pep heeft ook meer gekregen dan normaal.'
Tim aarzelt. Hij wil zich niet op zijn beurt laten inpakken.
'Een extraatje voor jullie allebei. Mijn weekendwerk wordt goed betaald, weet je.' Jozef knipoogt.

[4] **Kenny, Josh en de Maria's van deze wereld**

Tim haast zich, zigzaggend tussen de brommers en fietsers door, de school uit. Hij heeft een rit van elf kilometer voor de boeg. Zijn beste vriend Kenny is sinds dit jaar naar de technische school verkast. Gelukkig stopt Kenny's schooldag een half uur later dan die van Tim, want Kenny is er de kerel niet naar om lang op iemand te wachten. Dat heeft Tim al een paar keer aan den lijve ondervonden. Hij fietst stevig door. Ze zien elkaar weinig de laatste maanden, en het is niet dat er niets te vertellen valt, integendeel.
Net op het moment dat Tim de Predikherenlaan indraait, schelt de schoolbel van het VTI. Je kunt er je klok gelijk op zetten dat Kenny geen minuut meer wegblijft. Een paar seconden later spurt Kenny Budts als eerste het schoolplein af. Tim grijnst. Er zijn nog zekerheden in het leven.
'Kenny!' Tim zwaait wild. Kenny is behoorlijk bijziend, maar veel te macho om een bril te dragen. Brilapen maken geen enkele kans bij de meiden, luidt zijn devies.
'Hé, Timmy!'
De twee vrienden fietsen een eindje. Dan gaan ze op een bankje zitten. Kenny haalt twee blikjes bier uit zijn rugzak.
'Vanmorgen thuis uit de koelkast gebietst.'
'Ik drink geen bier', weigert Tim het blikje.
'Warme chocolademelk heb ik niet bij me', schatert Kenny.
Tim forceert een flauwe glimlach.

Even later doet Tim zijn beklag over de recente gebeurtenissen. Het verhaal van Maria's en Tilly's eerste bezoek interesseert Kenny nog een beetje – hij wil vooral weten of Tilly knap is – maar de Sinterklaashistorie is er voor hem te veel aan.
'Niet van wakker liggen, kerel,' onderbreekt hij het relaas, 'het raakt misschien nog uit tussen jouw pa en die Maria.'
Tim fronst de wenkbrauwen. Het sein voor de geblokte kerel met het sluikse haar om enkele woorden aan zijn ma te verspillen. Kenny heeft geen enkele achting voor haar.
'Mijn ma heeft ook al een paar keer een andere man leren kennen. Maar dat duurt nooit lang. En echt, ik kan die kerels geen ongelijk geven. Mijn moeder is een slappe dweil die zeurt, punt. Kenny, doe dit, Kenny doe dat niet. Kenny zus en Kenny zo. Geen mens houdt het bij haar uit.'
'Jouw ma is er tenminste nog!' bitst Tim onverwacht scherp.
'Verdween ze maar uit mijn leven zoals die van jou. Dan kon ik bij mijn pa gaan wonen', laat Kenny zich niet onbetuigd.
'Maar... Je pa sloeg je toch?' oppert Tim.
'Af en toe. Ik MOTiveer mijn zoon, zei hij dan. En ma maar gillen.' Kenny's gelaatsuitdrukking verraadt dat hij meer plezier beleefde aan de angst van zijn ma, dan dat hij bang was voor zijn pa.
'Je gaat zijn gedrag toch niet goedpraten?'
'Ach, dat was alleen als hij te veel op had. Dan stond hij zo wankel op zijn poten dat hij me amper raakte.' Het grillige litteken op Kenny's rechterarm bewijst het tegendeel, maar Tim weet dat het niet het aangewezen moment is om daar nu op in te gaan. Nooit eigenlijk. Toen het pas gebeurd was, had Kenny zijn pa een smeerlap genoemd. Tegelijk had hij hem verdedigd. Gezegd dat het zijn eigen fout was, dat hij misschien wel een pak slaag verdiend had.

'Mijn pa begrijpt me niet', brengt Tim het gesprek weer op zijn eigen situatie.
Kenny reageert niet. De twee vrienden zwijgen een hele tijd. Tim voelt zich een overlevingskunstenaar. Als jongere kan je nu eenmaal niet ontsnappen aan de situaties waarin volwassenen je plaatsen. Je moet jezelf aanpassen, willen of niet.
'Weet je,' zit Kenny op dezelfde lijn, 'soms wil ik overal zijn, behalve bij haar.'
'Begrijp ik best.'
'Daarom heb ik twee weken geleden mijn kans gegrepen.' Kenny kijkt Tim triomfantelijk aan.
'Hoe bedoel je?'
'Ik ben in de jeugdclub blijven 'plakken' en... niet thuis gaan slapen!'
Tim is onthutst.
'En geloof me, dat smaakte naar meer!'
Tim heeft wel honderd vragen.
'Hoe reageerde je ma?'
'Wist je pa ervan?'
'Is je ma je gaan zoeken?'
'Je pa?'
'Of kreeg je de politie achter je aan?'
'Tegen wie heb je het verteld?'
En natuurlijk ontbreekt de belangrijkste van alle vragen niet: 'Waar heb je die nacht geslapen?'
Kenny geniet van zijn gloriemoment. Op alle vragen kaatst hij een antwoord terug, behalve op de laatste.
'Dat, mijn beste, vertel ik je nog wel een keer!'
'Toe...'
'Alles op zijn tijd', plaagt Kenny. Tim voelt dat aandringen geen zin heeft.

'Hoe is het met Josh?' verandert hij dan maar van onderwerp.
Josh, Kenny's oudere broer, werd aan het begin van dit schooljaar naar een Medisch Pedagogisch Instituut[1] gestuurd, door Kenny steevast 'het gesticht' genoemd. Aan het einde van vorig schooljaar had Josh het op Tims en Kenny's school echt te bont gemaakt. Het dealen van softdrugs en het afpersen van medeleerlingen leverden tijdelijke schorsingen op, maar iedereen voelde dat er een ultieme stunt zat aan te komen, goed voor de definitieve uitsluiting. Tim herinnert het zich nog levendig. De eeuwige durfal wilde samen met Terry en Jasper de examenvragen uit het secretariaat stelen. Het drietal was op heterdaad betrapt door de politie, met de pech er bovenop dat de voorbijganger die hen had opgemerkt een journalist was. Het stukje in de krant zorgde ervoor dat ze hun schoolcarrière meteen naar beneden mochten bijstellen. Het Centrum voor Leerlingen Begeleiding[2] zag voor Josh Budts alleen nog heil in een MPI. Dat zijn moeder besliste om ook Kenny van school te laten veranderen, had allicht evenveel met Josh te maken als met Kenny's snel achteruitgaande rapportcijfers.
'Hoe is het met Josh?' herhaalt Tim.
'Gaat wel. Al is Josh een stuk slimmer dan de bende idioten waar hij nu bij zit. Hij wil er zo snel mogelijk weg. Alleen gaan wonen. En écht alleen wonen, niet 'begeleid zelfstandig wonen' zoals ze dat in het gesticht noemen. Weet je wat dat is?'

1 Een Medisch-Pedagogisch Instituut of MPI is een verzorgingsinstelling voor jongeren met een (zwaar) probleem die niet thuis langer thuis opgevangen kunnen worden.

2 Een Centrum voor Leerlingen Begeleiding of CLB is een dienst waarop leerlingen, ouders, leerkrachten en schooldirecties een beroep kunnen doen voor informatie, hulp en begeleiding.

Tim heeft geen idee.
'Stom, hoor. De opvoeders vallen Josh en zijn maten voortdurend lastig met allerlei dwaze opdrachten. Boodschappenlijstjes maken, rekeningetjes beheren en deelnemen aan praatgroepen. Onzin allemaal! Alsof je zoiets nodig hebt om alleen te gaan wonen.'
Tim staat ervan te kijken hoe hard zijn vriend geworden is. Hoe werelds ook. Kenny was eigenlijk geen slechte leerling, tot hij fameus begon te puberen. Tim weet nog hoe Kenny en hij in het eerste jaar wedijverden om de beste cijfers. Bij de meeste vakken moest Tim zijn meerdere erkennen in Kenny. Vorig jaar was dat helemaal anders. De toestanden rond Josh hebben daar beslist in meegespeeld.

Maria Budts wentelt haar lepeltje om en om in haar kop koffie. De diepe frons op haar voorhoofd verraadt dat ze de verklaring schuldig moet blijven waar de man van het CLB die tegenover haar zit om vraagt.
'U begrijpt, mevrouw Budts, dat we ons ernstig zorgen maken om Kenny. Toevallig hebben we zijn klas net gescreend de week voor hij een nacht van huis is weggebleven. Zijn algemene gezondheid en hygiëne lieten te wensen over. U hebt de testresultaten en de verhouding tot het gemiddelde gezien. Zijn verklaringen in het gesprek met onze psycholoog stemmen evenmin positief. We weten vrijwel zeker dat de jongen zich inlaat met alcohol en sigaretten, mogelijk ook met drugs.'
De man zoekt oogcontact. De blik van Maria Budts gaat voor de kop koffie.
'U weet hoe het gelopen is met Josh.'
Als geheugensteuntje ratelt de CLB-vertegenwoordiger het problemenlijstje van Joshs laatste jaren nog eens af. De dame

voor hem luistert niet. In gedachten is zij ver weg. Naar een betere tijd, toen Josh nog een ukje was, haar echtgenoot jong en knap, en drank een verre duivel.
'We moeten herhaling koste wat het kost voorkomen, daar zijn we het toch over eens?'
Alsof zij ooit iets anders zou kunnen wensen.
Een verschillende dynamiek ligt zelden of nooit aan de basis van een goed gesprek. Ook nu niet. De CLB-medewerker wil adviezen en oplossingen aanreiken. Mevrouw Budts wil daar best op ingaan, maar ze is niet opgewassen tegen een losgeslagen negentienjarige en een verwarde puber die rebelleert en haar niet respecteert.
'Als u er niet in slaagt om Kenny weer onder controle te krijgen, dan vrees ik dat de jongen sneller en dieper zal afglijden dan Josh, die nog een tijd in een min of meer normale gezinssituatie heeft kunnen opgroeien voor het familiaal mis liep', maakt de man een einde aan het gesprek.
De rug licht gebogen neemt Maria Budts met een slap handje afscheid. Achter haar valt de deur van het Centrum voor Leerlingen Begeleiding met een droge klik in het slot.

[5] **We're simply having a wonderful Christmas time**

Een familiefeest zonder familie, het is eens wat anders. Cynisch misschien, maar voor Tilly Nachtegaele heeft Kerstmis zijn glans allang verloren. Zeker nu pa definitief tot het verleden behoort. Misschien is het idee om bij de vriend van haar ma te gaan eten nog niet zo stom. Beter in ieder geval dan vorig jaar, toen de hele avond bij tante Gaby aanvoelde als een strakke dwangbuis, nutteloze cadeautjes voor familieleden die je amper kent inbegrepen.
Tilly's feestkleding beperkt zich tot het toevoegen van een toefhoedje aan haar reguliere, gitzwarte outfit. Daar zullen de Protjes het moeten mee doen. Fijn dat ma met Jozef afgesproken heeft dat er geen cadeaus gekocht hoefden te worden.
'Tilly, ben je klaar?'
Dit moet de omgekeerde wereld zijn. Haar ma is *nooit* op tijd klaar!
'Ja, ma.'
'Kom dan naar beneden, we vertrekken.'
Het valt te merken dat Jozef het waanzinnig druk had op kantoor. Hij en haar ma hebben elkaar amper gezien de laatste weken en Maria staat duidelijk op scherp. Wanneer Tilly beneden komt, waait de geur van ma's dure parfum haar tegemoet in de gang.
'Zal ik deze opzetten? Of is dat een beetje 'te'?' vraagt Maria.

Ze was toch klaar? Tilly heeft zich laten vangen door meteen naar beneden te hollen.
'Ja, ma.'
'Ja wat? Ja, het is goed, of ja het is een beetje 'te'?' herhaalt Maria ongeduldig.
'Ja…' Tilly kan een lichte giechel nog net bedwingen. 'Ja, het is goed.'
'Vooruit dan maar!' gaat Maria op de deur af terwijl ze haar hoed nog een laatste keer goed zet. In het voorbijgaan grist Tilly haar lange mantel van de kapstok en slaat hem haastig om.
Achter het stuur gezeten, past ma's imposante hoed maar net onder het dak van de auto.
Ze tuit haar lippen en brengt een extra laag dieprode lippenstift aan terwijl Tilly instapt.
'Klaar?'
'Ja, ma.'
'Eindelijk.'
Het startcontact. Tilly's ma is geen drie keer terug naar binnen gelopen voor iets wat ze vergat. Ze heeft de kleding van haar dochter niet gekeurd, geen opmerking gegeven over haar hoedje, niets gezegd over de kleur van Tilly's lippenstift of geklaagd over de omvang van haar oogschaduw en de dikte van haar eyeliner. Ze heeft zelfs niet eens gemerkt dat haar dochter het afgelopen kwartier zowat elke vraag met een zeurderig 'ja, ma' beantwoordde. Het meisje glimlacht. Dit kan een speciaal kerstfeest worden.

Ook al schakel je een traiteur in, denken dat het werk er daarmee opzit, is een grote vergissing. Jozef rent al anderhalf uur de keuken in en uit, bijgestaan door zijn beide zonen. Toch komt het bezoek voor hem ruim een kwartier

te vroeg toe. Dank de hemel voor het aperitief, de perfecte tijdwinner.
'Proost!' steekt Jozef als eerste zijn glas champagne de lucht in. Tim en Tilly nippen zwijgend van hun glas. Even vinden hun ogen elkaar.
'Moet ik nog een handje helpen, of staat alles al te dampen?' vraagt Maria.
'Hoewel ik twee schitterende assistenten heb, is er toch nog wel een klusje voor jou.'
'Dan offer ik mij graag op', knipoogt Maria. 'Maak het jullie gezellig, jongelui!'
Samen met Jozef gaat ze naar de keuken. Als fervente Beatlesfan neuriet Maria 'I feel fine', een van haar lievelingsnummers. Tim laat zich op de driezitsbank neervallen. Pep blijft strategisch naast het bijzettafeltje met de borrelhapjes staan.
Tot Tims grote verbazing komt Tilly ontspannen naast hem zitten. Wat een lef! Hij wil helemaal niet dat Maria hier is, noch haar dochter. En nu komt die ook nog een keer naast hem zitten. Hij kan moeilijk opstaan en ergens anders gaan zitten. Dat zou zoveel zijn als een oorlogsverklaring. Als ze maar niet verwacht dat hij iets tegen haar zegt. Zal hij de televisie aanzetten?
Tilly heeft er best schik in. De kerel naast haar is veel onrustiger dan zijzelf. Haar blik kruist even die van Tim. Als gefixeerd kijkt hij naar de afstandsbediening. Tilly weet zich meester van de situatie. Zal ze een normale vraag stellen om hem uit zijn tent te lokken? Of gaat ze voor een verbale prik? Als ze hem vraagt of hij kan spreken, dan sterft hij ter plaatse. Ze kijkt Tim weer aan. Haar eerste idee was juist. Zijn kapsel is net dat van Athan. Ook in profiel lijkt hij er op, al heeft Tim een minder scherpe neus.

'Wat kijk je?'
Tim schrikt van zichzelf. Hij wilde niet echt iets zeggen, voelde zich ongemakkelijk onder Tilly's blik.
'Naar jou,' repliceert Tilly, 'je lijkt op iemand van school.'
Tim weet zich klemgereden. Hij kan niet anders dan het gesprek aangaan.
'Welke school?'
'De mijne natuurlijk. Lutgardis.'
Tim kent het Lutgardis van locatie en reputatie. Een strenge school, gelegen aan de andere kant van de stad. Zijn ogen tasten Tilly af. Als de meisjes er zo mogen rondlopen, dan is die reputatie overtrokken. Tilly glimlacht. Tim stelt zijn blik bij. Ze moet niet denken dat het nog best gezellig kan worden.
'Het is er lang niet zo erg als ze zeggen. De nieuwe directeur gaat echt wel met zijn tijd mee. Gothic kledij zoals ik draag mag. Alleen tattoos groter dan twee centimeter en zichtbare piercings zijn verboden.'
Groter dan twee centimeter, denkt Tim. Wat een lullige regel. Ja of nee, dat is tenminste duidelijk.
'En T-shirts met opschriften die indruisen tegen de *Universele Verklaring van de Rechten van de Mens*', citeert Tilly het schoolreglement.
'Ik ga in de keuken kijken!' zegt Pep, die de laatste borrelhapjes heeft opgegeten.
'Heb jij piercings of tattoos?' hoort Tim zichzelf vragen.
Tilly antwoordt met een raadselachtige glimlach.
'Waar zit jij op school?'
'Op het atheneum', antwoordt Tim.
'Dan ken je Tatiana Lemmens?'
En of Tim durfal nummer één kent. De stoerste jongens scheppen maar wat graag op over hun avonturen met Tatiana.

'Zij heeft op de lagere school nog bij me in de klas gezeten', legt Tilly uit.
Tilly kent verder niemand op het atheneum.
Pep zet de net gevulde schaal borrelhapjes op de salontafel. 'Het eten is klaar, Tim. Pa en Ma-Ria praten nog over de inrichting', zegt hij.
Tim knikt instinctmatig. Ergerlijk toch, vindt hij, hoe snel Pep aan Maria's aanwezigheid went. Hij moest zichzelf alweer verbeteren, anders had hij 'ma'gezegd. Tilly merkt hoe Tims blik verstart.

De maaltijd verloopt zonder noemenswaardige incidenten. Tim houdt zich gedeisd en ook Tilly zegt weinig. Pep onderbreekt geregeld Maria's aanhoudende gebabbel. Wanneer het tijd is om de taart aan te snijden, mag hij zijn 'nieuwjaarsbrief'[1] voorlezen. Een week te vroeg weliswaar, maar Jozef wil Peps verhalen over het schrijven van zijn allereerste nieuwjaarsbrief geen hele week meer moeten aanhoren. Pep klimt op een keukenstoel en draagt de inhoud plechtig voor. De tekst, opgesteld door Peps juf en aangevuld met wat persoonlijke dingetjes, zingt uitgebreid de lof van Jozef. Wanneer Pep de zinsnede 'beter dan wel honderd mama's' voorleest, kijkt Tim dwars door Maria heen. Een grijns. Niet zozeer de inhoud van de zin dan wel Tims reactie erop raakt Maria. Ze is er even stil van.
'Jongens... en meisjes natuurlijk. Daar moet ik nog aan wennen. We hebben lekker gegeten en een stuk taart gesnoept. Maar er is nog iets.' Jozef geniet van de verwachting op de gezichten. 'De afspraak was dat we geen cadeautjes zouden

1 In heel wat regio's in de Lage Landen wordt een 'nieuwjaarsbrief' voorgelezen omstreeks Nieuwjaar. Kinderen blikken daarin terug op het afgelopen jaar en maken goede voornemens voor het nieuwe jaar. Na het lezen van de brief krijgen ze geld of een cadeautje.

uitwisselen. Maar een mooi kerstfeest is niet af zonder pakjes. Ik heb dan maar het initiatief genomen.'
Jozef keert zich naar de kast en onthult een stapel keurig verpakte verrassingen. Pep is eerst aan de beurt. Hij krijgt een MP3-speler.
'Tim, voor jou heb ik het praktische aan het aangename willen koppelen.'
Die mededeling en de omvang van het pak doen Tim geen seconde twijfelen. 'Een nieuwe printer?'
Jozef knikt.
'Wauw!'
Meer dan tevreden scheurt Tim de verpakking open, gehaast als hij is om te zien welk type pa voor hem heeft gekocht. Nooit gedacht dat er zoveel leven in Tim Proot zou zitten, denkt Tilly.
'Je ma vertelde me dat je MP3 zijn beste tijd gehad heeft.' Jozef stopt Tilly een pakje in handen.
'Dank u', mompelt ze.
Behoedzaam, alsof ze de Kerstmannen op het glanspapier geen pijn wil doen, pakt het meisje haar cadeau uit. Tot haar stomme verbazing komt het iPod topmodel tevoorschijn.
'Dit is... sterk...' Tilly kijkt op; haar stralende blik ontmoet die van Tim, die al even gelukkig lijkt.
'Dank u', zegt ze opnieuw.
'Het is niets, meisje. Graag gedaan.'
Rustig kabbelt het kerstfeest naar zijn einde. Tot Jozefs grote tevredenheid praten Tim en Tilly zelfs nog even. Over de technische mogelijkheden van de iPod weliswaar. Maar het is een begin. Als Jozef Proot nog twijfels had over de slaagkansen van zijn nieuwe relatie, dan zijn die vanavond weggesmolten als sneeuw voor de zon. Er tekent zich een nieuwe toekomst af. Voor hem, maar ook voor zijn zonen.

[6] Do they know its Christmas time?

Tweede kerstdag. Tim heeft Kenny al zes keer proberen te bellen. Elke oproep blijft onbeantwoord. Hij besluit naar hem toe te fietsen.
Rustig peddelt Tim langs de straten van hun provinciestad. Alleen wat wandelaars, een paar auto's en een politiewagen kruisen zijn pad. Tweede kerstdag is familiedag, weet Tim. Vroeger gingen pa, ma en hijzelf steevast op bezoek bij de grootouders. Toen Pep er pas was, gebeurde dat ook nog. Tot opa en oma aan vaders kant kort na elkaar stierven. Er was nog één kerst thuis met pa en ma. Daarna... Tim wil er liever niet te veel aan denken. Hij trapt wat harder. Tot aan de lichten van het Vredeplein. Rood natuurlijk. De keren dat je hier meteen door kunt rijden beleef je een mirakel. Die dag vul je best de lotto in, denkt Tim. Altijd prijs op zo een geluksdag!
Via de Meulebaan draait Tim de sociale wijk in. Kerkhofweg vierenveertig is een van de weinige huizen waar geen nep-Kerstman of opzichtig lichtarmatuur het raam siert of de voortuin vult.
Tim belt aan. Het blijft stil binnen. Ook nadat hij een tweede keer, lang en hard nu, op de bel gedrukt heeft. Op het ogenblik dat Tim besluit onverrichter zake terug naar huis te keren, hoort hij gestommel in de gang. De voordeur schuurt open.

'Wat moet je?'
De stem van Maria Budts klinkt toonloos, emotieloos.
'Is Kenny thuis?'
'Kenny.' Ze zegt het als was het woord een zucht. 'Kenny is hier niet.' Ze snuift, lang en diep. Maakt aanstalten om de deur te sluiten.
'Weet u soms waar hij is? Waar ik hem kan bereiken?' probeert Tim nog. Er komt geen antwoord.
Wanneer de jongen op zijn fiets stapt, hoort hij achter de deur vervormde geluiden. Hij zou zweren dat Kenny's moeder huilt. Verward rijdt Tim de straat uit. Al snel staat hij weer voor de lichten van het Vredeplein. Hij profiteert van de gelegenheid om Kenny's nummer nog een keer op te roepen. Tevergeefs.
Een groepje meisjes wandelt hem voorbij. Eentje voert het hoge woord.
'Jij bent een echte bofkont, Illy. Ik kan daar alleen van dromen!'
'Tja, Daphne, zo gaat dat nu eenmaal. Ik kan er ook niets aan veranderen.'
Tim kent die stem. Hij kijkt op. Tilly wordt door haar vriendinnen blijkbaar Illy genoemd. Het meisje lijkt de blikken in haar rug te voelen. Ze kijkt steels over haar schouder.
'Hé, Tim!' zwaait ze.
'Hi... ' komt de aarzelende reactie.
Gelukkig voor Tim springt het licht eindelijk op groen. Fietsen maar. Weg van dit stomme plein. Tilly Nachtegaele en vier andere meisjes staren hem na.
'Ik zei je toch dat hij op Athan lijkt.'
'Hij is een heel stuk knapper dan Athan!' vindt Emma.
'En of!' valt Daphne haar bij. 'Het is een spetter! Ik zei het toch: Illy is een grote bofkont.'

Keuvelend steken de meisjes het Vredeplein over. Tilly is meer dan tevreden. De relatie van ma legt haar geen windeieren. Haar vriendinnen vonden het al een cool idee en zijn nu ook nog een keer onder de indruk van Tim. Daar komt nog bij dat haar nieuwe iPod niet mis is. Lang niet mis, denkt het meisje, terwijl haar vingers het kostbare toestel op zijn plaats houden, diep in haar winterjas.

Maria Budts staart voor zich uit. Het kerstfeest is voor haar geen familiefeest. Niet meer. Misschien nooit meer. Vorig jaar was het al moeilijk, met Josh die nauwelijks nog onder controle te houden viel. Vandaag is Josh officieel een druggebruiker en één van de lastigste jongeren in het MPI. Ze zoekt hem zelden op. Het doet haar te veel pijn. De scheldende, agressieve kerel die tegenover haar komt zitten, lijkt in niets op de lieve jongen waar ze zoveel jaren voor gezorgd heeft. Alles verwijt hij haar. Alles is haar schuld.
Nu is Kenny voor de tweede keer in een paar weken niet naar huis gekomen. Met kerst nog wel. Het gesprek met de CLB-medewerker zindert na. Een alcoholprobleem? Mogelijk ook druggebruik?
Maria Budts overdenkt een aantal frappante gebeurtenissen van de afgelopen maanden. Kenny die schichtig wegdook in het Rioolsteegje aan de Vismarkt, een beruchte plek waar dealers en gebruikers elkaar ontmoeten. Hij was daar nooit geweest, loog hij. Tot zijn moeder zei dat ze hem zelf vanuit de bus gezien had. Kenny die haar steeds nadrukkelijker uit zijn kamer weerde en haar verwijten maakte.
Zou hij in het station slapen? Het kan. Volgens de mensen van het Comité Bijzondere Jeugdzorg brengen veel weglopers daar hun eerste nacht door. Het is er warm en droog. Maria kijkt op de klok. Bijna negen uur 's avonds. Kenny is

al meer dan vierentwintig uur weg. Toch wil ze nog geen hulpdiensten of politie bellen. Kenny kan vanavond nog thuiskomen, moe en hongerig. Hij heeft bijna geen geld op zak. Wat kan ze hem zeggen? Wat zal hij zeggen? Om de haverklap kijkt Kenny's moeder naar de goedkope wandklok. Negen uur precies. Het gaat verduiveld snel wanneer je niet wilt dat de tijd opschiet. Wat doet ze als Kenny niet komt opdagen? Maria Budts weet het niet. Of beter, ze wil het niet weten. Ze heeft die weg al een keer moeten bewandelen.
Goed twee uur later is Maria Budts aan het einde van haar Latijn. Ze kan de opvoeding van haar jongste zoon niet langer alleen aan. Hoe moeilijk het ook is om dat toe te geven. Onmachtig, verslagen, hangt ze op de afgeleefde sofa. Uitgeteld. Het kost haar nog een slordig kwartier vooraleer ze het nummer van de politie vormt.
De agent aan de andere kant van de lijn kan een zucht niet onderdrukken wanneer hij de naam Budts hoort. Hij volgde de zaak van Josh op. De agent laat mevrouw Budts rustig haar verhaal doen, maar zijn interesse is laag. De jongen loopt voor de tweede keer thuis weg en treedt daarmee in de voetsporen van zijn broer. De agent weet: dit wordt weer een saai proces-verbaal, een hoop papierwerk. Bovendien mag je de kans dat Kenny morgen weer thuis is op negenennegentig procent schatten. De kans dat hij binnen enkele weken opnieuw voor een dag of twee de benen neemt, is minstens even groot. Met stille tegenzin nodigt hij mevrouw Budts op het politiekantoor uit. Gelaten aanvaardt ze de suggestie om met de aangifte te wachten tot de volgende ochtend. De agent mompelt iets over de lage bezettingsgraad op tweede kerstdag en over een hevige brand in de plaatselijke feestzaal.

"Waarschijnlijk komt Kenny vannacht alsnog opdagen", besluit hij vaderlijk. "Bij Josh ging het in het begin ook zo." De moegestreden moeder spant zich in om het troostende van die woorden voor waar te nemen.

Maria Budts sleept zich naar de slaapkamer, al weet ze best dat dit de tweede slapeloze nacht op rij wordt. Wakend, tobbend, het hoofd continu op één lijn met de klokradio, ziet ze de minuten en uren wegtikken. Gebruikt Kenny drugs? Waar is hij? En waarom toch?
Het is verbazend wat je allemaal hoort en opmerkt wanneer je 's nachts wakker ligt. Sommige omgevingsgeluiden herken je, maar de grote meerderheid is je totaal vreemd. Het maakt het lange lijden er niet lichter op. Met een gruwelijke regelmaat schrik je op. Daar is hij, flitst het dan door je hoofd. Maar nee, steeds weer is het een of ander nachtdier, verkeer in de verte of het gekraak van een boom.

Tegen de morgen aan zakt Maria Budts weg in een bodemloze slaap. Haar weerstand is finaal gebroken. Onrustig kronkelt ze onder de dekens, ten prooi aan dromen en demonen die te dicht bij de harde realiteit staan. Ze hoort niet hoe haar jongste zoon zo stil mogelijk binnenkomt. Als een volleerde insluiper ontdoet hij zich van zijn schoenen. Op zijn sokken begeeft hij zich naar de achterkamer. Uitgeput laat Kenny zich in de zetel vallen. Hij draait het bijzetkacheltje halfopen. Met de teller op vijf blaast hij er de hele gasvoorraad in een paar uur door, maar dat zal hem een rotzorg wezen. Kenny wil slapen. Alleen maar slapen.

[7] Goede voornemens!?

Verzenden **Woensdag 31/12, 14:12**

Illy, ik ben stikjaloers op je. Wij hebben vanavond de hele, HELE familie op bezoek. Ooms en tantes, kids, de hele santenkraam. Ik baal dan enorm, want er zijn er een paar die zo nodig lollig moeten doen Lollig dat is: flauwe moppen en opa die z'n gebit uit z'n mond haalt, pure horror Alsof die stomme tv-show waarmee de avond begint nog niet erg genoeg is. En vergeet het maar dat ik naar m'n kamer zal mogen om er de TMF-special te zien.
Jij beleeft nog wat. Het eerste oudjaar van je ma met haar nieuwe lover. Zie je het zitten?
Daph

Verzenden **Woensdag 31/12, 14:16**

DD lief,
t zal wel meevallen - of is er echt <u>niemand</u> waarmee je kunt kl@sen?
Ik hoop echt dat we volgend jaar mogen uitgaan
Ik ben dan op een maand na 16, bij jou scheelt het nóg minder

Als je een weekje eerder jarig zou zijn…
We moeten goed op tijd lobbyen – ergens in juli of zo
Die van Latijn zou zeggen 'in tempora non suspecta' of suspecto - whatever
Vanavond weer naar Jozef
Ma is clever genoeg om het hier niet te doen
Zou een puinhoop worden -LOL-
Eigenlijk moet ik toegeven dat ik het allemaal best spannend begin te vinden
Hugs & Kisses, Illy ♠

Verzenden **Woensdag 31/12, 14:19**

Wat vind je spannend: je ma en Jozef, of…
Daph

Verzenden **Woensdag 31/12, 14:19**

Rare doos!
t is niet omdat jij Tim knap vindt dat mijn rikketik overslaat
De vorige keer was hij oersaai
Remember wat ik mailde: geen stom woord
Tot het over mijn iPod ging
Kreeg ik meteen de hele techniek uitgelegd
Terwijl dat ding gewoon muziek en beelden moet afspelen, punt
Right on, Illy ♠

Verzenden **Woensdag 31/12, 14:21**

Ik denk dat je toch een beetje nieuwsgierig bent. Niet dat het ineens je grote is, maar je bent genoeg om hem op z'n minst eens van dichtbij te bekijken, of niet?
Daph

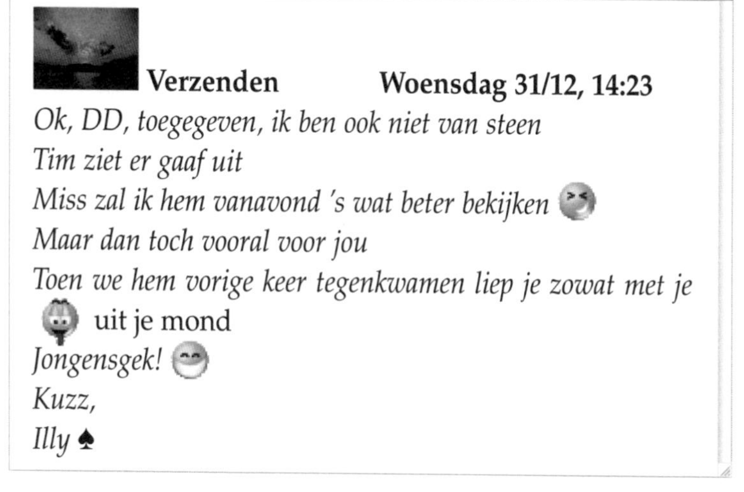

Verzenden **Woensdag 31/12, 14:23**

Ok, DD, toegegeven, ik ben ook niet van steen
Tim ziet er gaaf uit
Miss zal ik hem vanavond 's wat beter bekijken
Maar dan toch vooral voor jou
Toen we hem vorige keer tegenkwamen liep je zowat met je uit je mond
Jongensgek!
Kuzz,
Illy ♠

Verzenden **Woensdag 31/12, 14:24**

I plead innocent on all charges! Bekijk 'm toch maar 'n keer Ik zal mij intussen wel proberen wakker te houden op het super coole feestje hier Hihi
Daph

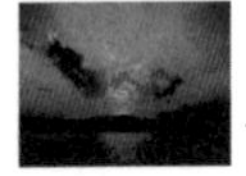 **Verzenden** **Woensdag 31/12, 14:28**

DD,
Ik moet weg
Ma heeft al drie keer geroepen
t is nog maar half drie, maar er moet nog van alles gedaan worden en daar wil ze NU mee beginnen
Geen houden aan
Je kent haar
We horen elkaar vanavond wel, na twaalve, mob

CU,
Illy ♠

PS: Ik heb nog aardig wat belminuten op m'n mob, dus ik bel wel

Verzenden **Woensdag 31/12, 14:29**

CU2 – volgend jaar kunnen we bijpraten over de fantastische oudejaarsavond die ons straks w8
Je zal je belminuten nodig hebben *Bye, voor de laatste keer dit jaar*
Daph

PS: Greetz aan je ma!

Tim leunt tegen de ingangspoort van het park. De vijver en het speelplein met de houten speeltoestellen liggen er elk seizoen hetzelfde bij. Alleen het uitzicht op de bochtige rijen kale struiken ernaast is bevreemdend. In de zomer is het groen van de doolhof quasi ondoordringbaar, maar nu kan je door de takken tot aan het houten huisje in het centrum kijken.
In de verte klinkt het carillon. Vijf uur. Tijd om naar huis te gaan. Verveeld schopt Tim een blikje tegen een metalen vuilnisbak. De kerstvakantie loopt helemaal niet zoals hij zou willen. Henk en Seppe zitten in het buitenland. Kenny geeft geen teken van leven. Hij is er deze week al drie keer tevergeefs aan de deur geweest. En thuis... Vanavond komt Maria alweer op bezoek.
Vorig jaar waren pa, Pep en hijzelf de laatste dag van het jaar 's avonds gezellig gaan bowlen. Daarna hadden ze friet met hamburgers gegeten. Geen sjiek gedoe, maar wel cool. Toen Pep naar bed was, hadden pa en hij naar een dwaze griezelfilm gekeken. Na het vuurwerk ging pa slapen. Tim had nog naar clips op zijn favoriete muziekzender gekeken. Het was laat geworden die nacht. Maar nu... Het vooruitzicht op een nieuw avondje Maria en Tilly remt Tims normale tred af tot een soort willoos slenteren. Op het kerstfeestje had hij nog lol gehad om de inhoud van Peps nieuwjaarsbrief. Hij weet zeker dat zijn reactie Maria niet ontgaan is. Maar nu komt ze dus al terug. God straft meteen, zou Seppe zeggen. Dat zegt hij bij alles wat misloopt. En het gaat fout, goed fout. Dit dreigt een lange, vervelende oudejaarsavond te worden.

Tegen de tijd dat de families Proot en Nachtegaele het dessert verorberen, moet zelfs Tim toegeven dat de avond niet

onaangenaam verloopt. Maria mag dan veel aan het woord zijn, het zou de waarheid geweld aandoen te beweren dat ze alles overheerst. Met Pep in de buurt is daar bitter weinig kans op! Pep bemoeit zich er altijd en overal mee, ongeacht of hij het gespreksonderwerp begrijpt of niet. En hij lacht steevast het hardst om de grappen die verteld worden, ook al ontgaat de clou hem vaak. Tilly heeft Tim gevraagd of zijn printer naar wens presteert en zij liet de oogst van een weekje downloaden zien en beluisteren. Hun muzieksmaak verschilt, maar op het vlak van films delen ze een voorliefde voor actie. De blockbuster die het meisje pas vanmorgen op haar iPod zette, brengt hen tussen de verschillende gangen van de maaltijd door dan ook letterlijk dicht bij elkaar. Het scherm is immers maar een handvol centimeter groot. De twee gaan zo erg op in de dynamische actie dat ze schrikken wanneer Jozef het woord neemt.
'Waardeloze landgenoten,' parodieert Jozef de koning, 'vorige week, toen we hier samen waren op kerstavond, hadden de koningin en ik een verrassing voor jullie...'
Pep kijkt meteen naar de wandkast. Zou het...
'Dit keer hebben we geen cadeaus. Hoewel. In feite is het er wel één.'
'Je weet dat zowat iedereen goede voornemens maakt aan het eind van het oude jaar', neemt Maria over. 'De een wil stoppen met roken, de ander wil beter zijn best doen op school. Wij hebben ook onze goede voornemens gemaakt.'
Tim en Pep kijken toe. Instinctmatig voelt Tilly wat eraan zit te komen. Zacht maar vastberaden schuift Jozef zijn rechterhand achter Maria's rug.
'Wij hebben beslist,' het koppel wisselt een blik van verstandhouding, 'om het nieuwe jaar in te gaan als een nieuw gezin. We gaan samenwonen!'

'Gefeliciteerd!' reageert Tilly meteen.
'Wauw!' roept Pep uit. 'Ik heb er een zus en een mama bij!'
'Nu al?' Tims stem klinkt hees en onzeker.
'Het is toch te gek om twee keer huur te betalen als je zeker bent van elkaar.' Jozef straalt nog steeds.
'Wat als het toch nog fout loopt?' vraagt Tim.
'Het loopt niet fout. Dit is echte liefde. We zijn oud en wijs genoeg om dat te voelen. Jozef en ik weten heel goed wat we willen en wat we aan elkaar hebben.' Maria kust Jozef op de wang.
'Trouwens,' voegt Jozef eraan toe, 'om te weten of samenwonen lukt, moet je eerst samenwonen.'
'Dat begrijp ik', mompelt Tim zacht.
'Maak jullie dus maar geen zorgen, jongelui, dit gaat iets moois worden, voor ons allemaal. We vormen samen een fantastisch, nieuw samengesteld gezin.'
'Gefeliciteerd dan.'
Tims stemt klinkt nog steeds onzeker.
'Fijn dat jullie het zo goed opnemen. We vermoedden het wel, maar toch bedankt.' Jozef slikt een krop in zijn keel weg. Maria neemt weer van hem over.
'Er komt heel wat bij kijken, puur praktisch dan. Dat is ook een reden waarom we niet langer wilden wachten. Jozef zit weldra in een razend drukke periode op kantoor. Hij heeft nu een paar dagen vrij, ideaal om te helpen verhuizen en inrichten.'
'Blijven we hier wonen?' wil Pep weten.
'Ja, Pep. Maria en Tilly trekken bij ons in. Dat is veruit de makkelijkste manier, al zal een en ander heringericht moeten worden. We hebben nu eenmaal maar drie slaapkamers.'
Tim staat op, excuseert zich en verdwijnt naar het toilet. Binnensmonds vloekt hij heftig. Dat bedoelde Pep vorige

week toen hij zei dat pa en Maria spraken over de inrichting. Ze waren verdorie bezig het huis te herverdelen! Tim weet nu al wat dat voor hem betekent. Hij is zijn privacy kwijt. Verdomme!
Bedrukt neemt Tim zijn plaats aan tafel weer in. Maria zal voortaan deeltijds werken zodat ze elke woensdagnamiddag en zaterdag bij hen kan zijn. Ze hoeven dus niet meer naar tante Tine of oom Tony. Pep is één en al enthousiasme: hoe meer leven in huis, hoe liever hij het heeft!

Lang nadat het vooraf door Tim meest gevreesde moment van de avond – het gekus om middernacht – voorbij is, staat de opgeschoten jongen tegen de muur van zijn kamer aangeleund. Maria en haar dochter zijn naar huis. Hun huis. Hoeveel tijd heeft hij nog, alleen in zijn kamer? Een dag, twee, drie misschien? Tim kijkt uit het raam. De duisternis die de Scheldedreef omringt is intens. Er is weinig nachtelijk verkeer en weinig verlichting. De sterren lijken er helderder door, de maan indrukwekkend. Het zien van de verre, onbereikbare hemellichamen brengt Tim terug in de tijd. Naar vroeger, toen het leven simpel was. Naar ma. Ma is als mist. Meestal is ze totaal afwezig. Af en toe sluimert ze in zijn gedachten als een verre nevelsliert. Maar soms, ineens, is ze daar: onontkoombaar en allesomvattend. Geen ontsnappen aan. Zo ziet hij zijn ma sinds de dag dat ze de deur van hun huis voorgoed achter zich dichttrok. Een beeld dat nu aan de kant gezet zou moeten worden. Vervangen door pa's nieuwe vriendin, waarmee hij het woord 'ma' niet op één lijn kan krijgen. 'Hoeft ook helemaal niet', had pa hem daarstraks geantwoord toen hij de vraag niet langer kon onderdrukken. Net die ongedwongenheid maakt het tot een quasi verplichting in Tims hoofd. Begrijpen vaders dan werkelijk niets?

[8] Nieuwe bezems

Amper twee dagen is de herinrichting van het huis aan de gang wanneer Jozef verstek moet laten gaan. Voor het hele weekend nog wel. 'Het droeve lot van de workaholic', zei hij schertsend, maar echt geestig vindt Tim het niet. Nu mag hij al meteen een hele dag doorbrengen met Maria, die als een ijzeren kolonel de lakens uitdeelt. Eén kast vliegt opzij, een andere moet in de kamer ernaast binnengedragen worden. Gelukkig zitten de werkzaamheden in de grote slaapkamer – voortaan van pa en Maria – en in de keuken er al op. Wat Maria allemaal met de woonkamer uitprobeert, stellen Tims uithoudingsvermogen en geduld echter danig op de proef. De aanwezige schilderijen en ornamenten zijn al een keer of zes verplaatst. En weer teruggeplaatst. Tim heeft er zijn buik van vol. Bovendien, waar zit Tilly? Zij kan toch ook helpen, of niet soms?
'Misschien was het daarnet toch beter', denkt Maria hardop.
Ze moet niet denken dat ik alles wéér ga verplaatsen, moppert Tim in zichzelf.
Alsof ze zijn gedachten leest, tilt Maria Nachtegaele het grote, Afrikaanse houten beeld zelf op. Terwijl ze 'We can work it out' neuriet, zet ze het terug op de plek waar het geen minuut geleden al een keer stond.
'Mmm. Dat is inderdaad minder dominant. Wat jij, Tim?'

Van dominant zijn weet ze àlles, denkt Tim cynisch, maar hij zwijgt. Voor hem heeft dat Afrikaanse ding van pa geen enkele emotionele waarde. Het stond er en het staat er.
'Je doet maar', mompelt hij.
'Zie je het liever bij het raam, of in de rechterhoek? De linker is in ieder geval te donker', probeert Maria nog. Zonder resultaat. Tim haalt zijn schouders op en zucht.
'Bij het raam dus', hakt ze de knoop door.
De televisie en de stereotoren zijn aan de beurt. Omdat Maria de praktische indeling van de grote lade en de diverse opbergschuifjes volledig aan Tim overlaat, verandert er weinig. Alleen Peps snoeptrommel, een plakkerig, vunzig potje, moet van haar de baan ruimen.
'Tijd voor jullie slaapkamers.'
Het gevreesde moment. Nu. Zonder pa. En alsof de duivel ermee gemoeid is, komt net op dit ogenblik Tilly aan. Tim voelt zich meteen in het nauw gedreven. Hij weet dat Pep en hij een kamer moeten delen, maar de keuze van de kamer en de indeling zijn belangrijk. Gelukkig is Pep weg, of het werd helemaal een boeltje. Tim heeft het grote voordeel dat hij het huis al jaren kent. Reden waarom hij niet de grootste kamer, 'zijn' kamer, wil. De kamer van Pep heeft een deur en een trap die uitkijken op de tuin. Als hij die kamer kan krijgen, is dat erg handig wanneer er vrienden komen. Liever dan Pep bij hem te laten intrekken, opteert Tim dus voor de omgekeerde beweging. Maria ziet dat anders. Pep heeft veel minder spullen, dus ligt het toch voor de hand om hem te laten verhuizen? Het lijkt haar ook logischer om de grootste kamer te verdelen. Tim wil antwoorden, maar het is lastig om je zaak te verdedigen wanneer je argumenten beter verborgen kunnen blijven. Gelukkig is Tilly soepeler dan haar ma. Het meisje ziet Tims kamer best zitten. Een veldslag gewonnen.

Een uur later staan de spullen van de broers Proot en Tilly's bezittingen in de juiste kamers.
'Dat ziet er prima uit, Tim', prijst Maria. 'Richt nu jouw deel in. Dan kan Pep straks zijn spulletjes een plaats geven.'
Tim mompelt iets dat op een bevestiging lijkt. Hij haat het wanneer Maria hem zo beveelt.
'Je vindt jouw gedeelte toch niet te klein, hoop ik? Het valt eigenlijk best mee, niet?'
Hoe kan je op zo een opmerking ooit zinnig reageren? Uiteraard vindt Tim de ruimte die hij overhoudt te krap. En ook het feit dat hij zijn privéruimte voortaan met Pep moet delen, is een serieuze stap achteruit. Dag privacy. Dat hij dit heeft weten te compenseren met een rechtstreekse uitgang doet aan het naakte feit geen afbreuk. Schouders ophalen dan maar weer. Hij onderdrukt een zucht.
'We zullen voor een afscheiding zorgen. Dan hebben jij en Pep elk een stuk eigen kamer. Wat zou je denken van een rail op het plafond waar we een gordijn aan hangen?'
'Een gordijn? Dat noem je toch geen afscheiding.'
'En waarom niet? We kunnen redelijk dikke stof nemen, in een donkere kleur, waar je niets doorziet.'
'Alsof dat Pep zal tegenhouden! Die stapt daar langs wanneer hij er maar zin in heeft. Hij zal een gordijn bijzonder leuk vinden om mee te spelen, zeker weten!'
'Dan is het aan jou om hem duidelijk te maken dat het er niet zomaar hangt. Als je samen een kamer deelt, moeten er goede afspraken gemaakt worden. Zo eenvoudig is dat.'
Tim zucht.
'We kunnen onmogelijk een valse wand plaatsen. Dan zou jij via de tuin naar je kamer moeten. Als het regent, neem je dan het vuil dat aan je schoenen hangt mee naar binnen. Ik zal zo al genoeg moeten schoonmaken.'

Als je enkel aan jezelf denkt, dan kan zo een oplossing natuurlijk niet, denkt Tim.
'Maar als je een beter idee hebt: shoot! Jozef en ik zien dan wel wat we kunnen doen!'
En met die woorden verdwijnt Maria uit Tims nieuwe kamer. Of beter, zijn nieuwe *halve* kamer.

Tim gaat op de rand van zijn bed zitten. Een zoveelste zucht. Hij moet mee in deze hele evolutie, hoezeer hij dat ook anders zou willen. Alleen omwille van zijn pa wil hij het proberen. Maar hoezeer Tim ook zijn best doet, eigenlijk kan hij alleen constateren dat het hele verhaal hem dichter bij zijn ma brengt. Ma, die hij tot voor kort goeddeels uit zijn leven had gebannen. Tims gedachten zweven heen en weer tussen oude en nieuwe beelden. Allerlei gebeurtenissen krijgen een nieuwe dimensie. Ook wanneer hij zijn posters, die van de historische en die van de amper twintig jaar oude, heraangelegde 'Maze' van Saffron Walden een nieuwe plek bezorgt, is Tim nog altijd in gedachten verzonken. Hij vindt pas verstrooiing wanneer hij in een lang niet meer geopende doos met speelgoed op een oude game botst. Tim wist niet eens dat hij het spel nog had. Al snel zit hij achter zijn computer. De cd-rom is stoffig en bekrast, maar laadt probleemloos op. Geinig! Deze game was het begin van zijn liefde voor doolhoven. Geen oorlogstuig of blits Amerikaans filmgeweld, maar een uitdagende doolhofconstructie waar je op zes spelniveaus doorheen moet zien te raken. Tim gaat er helemaal in op. De eerste twee niveaus vormen geen enkel probleem, en waar het hem vroeger nooit lukte voorbij niveau drie te komen, gaat dat nu meer dan aardig. Hij is al over de helft en voelt welke richting hij uit moet.

Gelokt door de geluiden van de game slaat Tilly haar nieuwe 'broer' gade terwijl die gepassioneerd tekeer gaat op zijn pc. Tim voelt haar aanwezigheid niet. Wanneer hij na niveau vier ook level vijf probeert te overwinnen kan dat nog even haar aandacht houden, maar niet lang. Tim geeft met een krachtige 'verdomme!' op. Tilly stapt de belendende kamer weer in. Tim pikt enkel de restanten op van een hem vreemde geur. Eentje die nu al een dag of twee her en der in huis hangt.

'Waarom staat er Illy op die doos? Jij heet toch Tilly?'
'Dat is een bijnaam, Pep.'
'Een bijnaam?'
'Een troetelnaam die je van je vrienden krijgt.'
'Waarom?'
'Meestal omdat je iets speciaals doet, of omdat je er op een bepaalde manier uitziet.'
Pep knikt. Hij is mee. 'Maar waarom dan Illy?'
'Ik weet niet zeker of jij dat al kunt begrijpen.'
'Ik ben slim, hoor!'
'Daar twijfel ik niet aan.'
'Ik had drieënnegentig op mijn kerstrapport.'
'Wat een schitterend resultaat!' prijst Tilly. Ze vindt Pep best een koddig kereltje.
'Jij wint! Ik zal het proberen uit te leggen. Kijk naar mijn kleren. Welke kleur zie je?'
'Zwart. Alles is zwart.'
'En mijn haar, welke kleur heeft mijn haar?'
'Ook zwart.'
'Echt zwart?'
'Ja. Zwart zwart.'
'Nee, gekkie. Ik bedoel: is mijn haar zwart van nature?'

Het blijft even stil. Pep begrijpt niet waar Tilly naartoe wil.
'Nee dus. Het is geverfd. Ik kies bewust voor zwart haar en zwarte kleren. Ik luister naar donkere muziek en draag zwarte make-up. Daarmee ben ik gothic.'
'Kotik?'
'Gothic. Dat is een bepaalde stijl.'
'Drink jij koffie, Pep?' vervolgt het meisje.
'Nee. Koffie is vies. Ik heb al een paar keer van papa's koffie geproefd. Bah!'
'Ik drink wel koffie, véél koffie, en altijd zwart. Pittige Italiaanse koffie vind ik erg lekker. Mijn favoriete koffiemerk heet Illy. Mijn vriendinnen weten dat ik van zwarte koffie, zwarte kleren, zwarte haren en zwarte make-up hou, daarom hebben ze mijn naam een beetje aangepast. En omdat ik het zelf ook cool vind, schrijf ik op heel wat dingen Illy in plaats van Tilly. Snap je?'
'Ja hoor, Illy koffie', lacht Pep.
'Tilly, Tim, Pep, eten!' roept Maria.
Wanneer Tim zijn kamer verlaat, ruikt hij opnieuw die rare geur. Bij Tilly's kamer is de geur nog sterker. Nieuwsgierig stapt hij de ruimte in die tot vanmiddag nog aan hem toebehoorde. Het is er onherkenbaar! Tilly's spulletjes liggen overal verspreid: kleding, boeken, cd's, pennen en allerlei prullaria. Meer nog dan het hallucinante beeld dat zich voor zijn ogen ontrolt, is Tim onder de indruk van de geur. Wat voor parfum Tilly ook gebruikt, het is verdomd sterk spul. Dat ruikt hij dus al de hele tijd.
'Tim, eten!' roept Maria weer.

Wanneer Tim de volgende ochtend Tilly's kamer passeert, heerst daar een geordende chaos. De oceaan van rondslingerende bezittingen is verdwenen. Voor, achter en naast het

bed staat nu een groot aantal kleurrijke dozen en doosjes. De halfopen sluiting van de meeste geeft aan dat ze prop en propvol zitten. En weer is er die geur.
De badkamer is op slot.
'Pep?'
'Nee, ik ben het!' klinkt een meisjesstem.
Naar de keuken dan maar.
'Hoi, Timmie!' begroet Pep zijn broer vrolijk. 'Ik ben bijna klaar.'
'Goedemorgen, Tim, lekker geslapen?' vraagt Maria Nachtegaele enthousiast.
Een droog 'morgen' is de enige respons.
Zoals gewoonlijk overschat Pep zichzelf mateloos. Zijn kom met ontbijtgranen is nog meer dan halfvol. Wanneer Tim klaar is met ontbijten, haast hij zich weer naar de badkamer.
'Op slot. Nee toch?' moppert hij. 'Zit jij nu nog altijd in de badkamer, Tilly?'
'Nee, ik zit op Mars. Natuurlijk ben ik het. Wie anders?'
Tim weet het even niet meer. 'Gisteren was het ook al zo', durft hij na enkele tellen.
'Jij wast je toch ook elke morgen?' krijgt hij lik op stuk.
Tim zucht. 'Duurt het nog lang?'
Geen antwoord. Eerst naar het toilet dan maar.
Wanneer Tims hand de deurknop indrukt, kan hij al snel niet verder meer. Dit is niet mogelijk!
'Bezet!' klinkt de stem van Maria.
Tim zucht opnieuw. Dat spelletje is al enkele dagen aan de gang. De badkamer opnieuw proberen? Nee. Tim gaat terug naar de keuken, schenkt een glas cola in en drinkt er gulzig van.
'Weet ik meteen of dit een boze droom is', gromt hij.

Wanneer Maria de keuken binnenwandelt, haast Tim zich naar het toilet, en dan naar de badkamer.
'Nog heel eventjes,' komt de verontschuldiging meteen, 'ik ben zo goed als klaar.'
Een minuutje later gaat de deur zowaar open. Illy Tilly stapt de gang in, en verdwijnt met een vlugge 'sorry' naar haar kamer. Wanneer Tim de deur achter zich sluit, lijkt Tilly's parfum de plaats van de normaal aanwezige lucht volledig ingenomen te hebben. Haastig zet Tim het raam open. De kille decemberlucht is een ware verademing. Nu kan hij zich eindelijk opfrissen. Het open badkamermeubel van Maria en haar dochter ziet er voor de derde dag op rij anders uit. Kleurrijke potjes, tubes, staafjes en borsteltjes banen zich een weg naar de talloze uitgangen die een bonte verzameling doosjes en mandjes hen biedt.
'Net een logge duizendpoot met al die uitsteeksels', grijnst Tim. Zelf redt hij het probleemloos met één kam, één borstel en één deo.

De dag verloopt relatief rustig. Tim verplaatst nog wat dingen in zijn deel van de kamer. Hij helpt Pep zijn speelgoed en kleding te sorteren en bergt vervolgens alles netjes op in de kasten. Tilly hoort of ziet hij nauwelijks. 's Morgens zat ze te chatten, 's middags was ze bij vriendinnen. Haar leven is haar leven, niet het zijne. Met uitzondering van dat penetrante parfum. Haar kamer, de badkamer en een flink stuk van de gang zijn er al mee besmet. Tim kan zich zelfs niet van de indruk ontdoen dat Pep en hij de geur ongewild ook hun kamer in dragen.
Jozef arriveert een uurtje voor het avondeten. Moe maar tevreden van het weekendje overwerk. Zijn zonen, in blijde verwachting van hun vaste zondagavondpatroon, wacht

een koude douche. Pa heeft de traditionele zak friet niet bij zich. De pot schaft gewokte groente met pilafrijst. Jozef lijkt de ontgoochelde blikken van Pep en Tim niet op te merken. Ook Maria heeft niets in de gaten.

'Dag vijf van de bezetting', vloekt Tim binnensmonds wanneer het rampscenario in de badkamer zich ook de volgende morgen herhaalt.
'Hoe is het verdomme mogelijk? En dat op de eerste schooldag.' Met een harde klap slaat Tim zijn slaapkamerdeur dicht. Wat die trien ook uitvreet in de badkamer, het blijft tijdverlies. Een schoonheid is het niet en zal het nooit worden, hoeveel kilo's zalfjes ze ook gebruikt. In sneltempo grabbelt hij het nodige schoolmateriaal bij elkaar en dondert tegen Pep dat die niets mag vergeten. Voor Pep is dat geen overbodige opmerking aan het einde van een vakantie, weet Tim.
Met de rugzak over de schouder haast hij zich weer naar de badkamer. Die is nog steeds op slot.
'Maak open, mens! Ik moet me kunnen klaarmaken voor school!' roept Tim ongeduldig uit, terwijl hij met zijn rechtervuist op de badkamerdeur roffelt.
'Nog even, Tim.'
'Hoezo, nog even? Je zit er verdomme al een uur. In die tijd kun je een hele gevel restaureren!'
'Sorry, maar bij meisjes duurt het nu eenmaal wat langer.'
Ondanks Tilly's excuses kan Tim zijn ongeduld niet beheersen. Dertig seconden later roffelt hij alweer op de deur. Een roffel die overgaat in ritmisch getik, als was het een alternatief soort klok. Of een tijdbom!
'Wéér een minuut voorbij!' verzucht hij na hooguit twintig tellen. 'Moet ik echt met je samenleven?'

Eindelijk komt Tilly de badkamer uit. Tims blik vlamt.
'Ciao, vuuroog', grapt het meisje. Geen reactie. Tim duikt de kleine ruimte in en slaat de deur met een luide klap achter zich dicht. Een guitig lachje speelt om Tilly's lippen terwijl ze de trappen afdrentelt.
'Dag, ma!' roept ze vrolijk.
'Dag, schat tot vanavond!'

[9] **Koken en overkoken**

Thuis mag dan alles anders zijn, op school verandert nooit wat, lijkt het wel. Reynders van wiskunde heeft het eens te meer op Tim gemunt. Kan hij het helpen dat die hele wiskunde zijn hersenen met een brede bocht mijdt? 'Ik doe wat ik kan', sist Tim tussen zijn tanden.
Nederlands en Frans verlopen prima. Dat wil zeggen: Tim weet buiten de vuurlinie te blijven. Aanwezig of afwezig, het maakt zoals zo vaak in die lessen geen echt verschil.
Na de lunch staat er natuurkunde op de lessenrooster. Tim haalde voor dit vak net geen onvoldoende op zijn kerstrapport. Dat is niet zo verbazend, want Tim begrijpt er weinig van. Het is zijn tweede probleemvak. De tweede helft van het schooljaar belooft geen makkie te worden.
De schooldag wordt afgesloten met een uurtje godsdienst. Tim zakt beetje bij beetje dieper in zijn bank. Hij geeuwt, hijst zich overeind, rekt zich uit en geeuwt opnieuw. Het leven is wachten. Wachten op het belsignaal dat de jongeren van het atheneum hun vrijheid terugschenkt.
Om acht minuten over vier proppen de leerlingen die achteraan in de klas zitten hun boeken en schriften zo stil mogelijk in hun rugzak. Wouters, de oude godsdienstleraar, slaat geen acht op hen. Wanneer twee minuten later de bel gaat, staan de jongens van de laatste banken in een wip vooraan. Tim is bij de eersten. Hij wil binnen een half uur

bij Kenny's school staan, en dan is een goede start absoluut noodzakelijk.

De fietstocht verloopt probleemloos en snel. Tim blaakt van conditie. Zijn sportiviteit komt hem weer goed van pas. Ook Kenny verlaat als een van de eersten zijn school. Even later zitten ze op hun bankje. Kenny haalt zes blikjes bier uit zijn rugzak. Ditmaal wil Tim er ook één.
'Je gaat het nog leren', grijnst Kenny. 'Je wordt een grote jongen, Tim Proot!'
Tim wuift het spottende commentaar van zijn beste vriend weg. 'Ik heb een rotdag gehad. Een rotjaar eigenlijk, tot nu.'
'Nog 360 dagen te gaan!' Kenny lacht hard om zijn eigen mopje.
Tim gaat er niet op in. Hij wil zijn hart uitstorten. Over de nieuwe situatie thuis: zijn pa die of afwezig, of met Maria is. Illy die voortdurend de badkamer blokkeert en het hele huis laat ruiken naar haar parfum. 'En dan heb ik nog niets gezegd over school! Mijn kerstrapport was bedenkelijk: een luizige onvoldoende voor wiskunde en met de hakken over de sloot voor natuurkunde. Het ziet er niet goed uit.' Tim neemt een flinke slok. 'En dan ben jij ook nog eens nooit te bereiken!'
'Daar heb ik héél goede redenen voor!' Kenny neemt een ferme slok. Daarna vertelt hij stoer hoe het de dag voor Kerstmis tot een knallende ruzie kwam tussen hem en zijn ma.
'Ze wilde me de hele avond binnenhouden. De hele avond! 'Kerst is een familiefeest', zei ze. 'Ammehoela! Josh zit in dat gesticht. Pa is weg, voorgoed. Hoe kan je dan spreken van een familiefeest? Zie je mij daar de hele avond zitten met Mie Zeur?'
Tim probeert er zich iets bij voor te stellen, maar Kenny wacht zijn antwoord niet af.

'Dus ben ik maar meteen opgestapt.' Een nieuwe slok.
'Twee weken lang?'
'Gek! Als je dat doet, sta je met je kop in alle kranten en zoekt het halve land je! Twee nachten, twee wonderschone nachten, mag ik wel zeggen.'
'Waar heb je dan gezeten?' Tim zou maar wat graag de schuilplaats van zijn vriend kennen. Vorige keer wilde Kenny die ook al niet verklappen.
'Top secret, my boy. Maar ik kan je wel verklappen dat ik er niet alleen was.'
Tim kan niet geloven dat Kenny, die amper een paar maanden ouder is dan hij, een vriendin heeft. Hij zou er zeker al over opgeschept hebben. En niet zo'n klein beetje ook. Bovendien zou dat meisje dan het lef moeten hebben om net als Kenny op kerstavond van huis weg te lopen, tenzij ze al oud genoeg zou zijn om hem bij haar thuis te laten slapen. Nee, Tim gelooft er geen woord van. Kenny ziet de vertwijfelde blik van zijn vriend.
'Je gelooft me niet?' Met het nodige gevoel voor drama rolt Kenny de linkermouw op. Zijn biceps onthult een hartje en een naam: Jona.
Tim denkt na. Het is een bewijs, maar ook niet. Iedereen kan zo een tattoo laten zetten. Tegelijk is dit niet het moment om zijn beste vriend in twijfel te trekken. Hij wil beslist geen hommeles met Kenny.
'Jij wint.'
'Ik zou het geloven, Timmy. Was je erbij geweest, je had je ogen uitgekeken. Echt waar!'
Tim beaamt. 'Misschien een volgende keer.'
'Wie weet?' glimlacht Kenny. 'Kom, we drinken er nog eentje!' Kenny wil Tim een blikje toestoppen.
Die twijfelt. Hij is het niet gewend te drinken.

'Nee, dank je. Mijn pa mag niet ruiken dat ik bier gedronken heb.'
'Je pa? Die is toch nooit op tijd thuis. En vandaag zeker niet… Op de eerste werkdag van het nieuwe jaar gaan al die bureaumannetjes samen zuipen, dat weet je toch.'
Kenny heeft gelijk. Tim herinnert het zich van vorig jaar. Maar nu is Maria wel thuis natuurlijk, en Illy. 'Ze kunnen naar de duivel lopen!'
'Groot gelijk!' Kenny steekt het blikje bier uit.
'Waar zat je dan de rest van de vakantie?' vraagt Tim terwijl hij het blik opentrekt.
'De ouwe taart ging geweldig te keer toen ik terug was', lacht Kenny.
Tim kan zich niet inbeelden welke duivels bezit zouden moeten nemen van Maria Budts om het mensje weer tot leven te wekken. Ze leek hem een en al apathie.
'Het stomme mens had natuurlijk de politie gebeld. Die schakelden op hun beurt de Bijzondere Jeugdzorg in. Ken je die knakkers?'
Tim schudt het hoofd.
'Ik ken ze maar al te goed. Zij kwamen ons 'bijstaan' toen Josh problemen had. Binnen de kortste keren zat hij toen in het gesticht, omdat ma hem niet meer aankon.'
'Ik dacht dat de mensen van het CLB Josh naar die instelling hadden gestuurd?'
'Eh, ja, die ook', foetert Kenny.
Ook al is Tim lichtjes boven zijn theewater, hij voelt aan dat Kenny het blazoen van Josh in eerdere versies van het verhaal een tikje heeft opgepoetst.
'Als ma flipt, dan belt ze naar elke stomme dienst die je maar kunt vinden', duvelt Kenny. 'En dan zijn ze daar…'
'Wie?' hikt Tim.

'Psychiaters, psychologen, de hele zwik. Maar ik ben niet zo stom geweest als Josh. Die brulde en tierde als hij met één van die pipo's aan tafel moest. Nee, deze jongen is slimmer. Weet je wat ik deed?'
Samenzweerderig buigt Kenny zich naar Tim.
'Ik speldde die kerels een ontroerend verhaaltje op de mouw. Dat de weken voor kerst op school zwaar waren, dat ons huis zo leeg was zonder pa en Josh. En ma maar blèren.' Kenny lacht. 'Ze zijn er met open ogen ingetrapt. Geen muf MPI voor Kenny! Ik moet me alleen gedeisd houden, een paar keer op gesprek komen en that's it. Geen probleem. Dan lul ik die kerels wel weer omver!'
Tim is onder de indruk. Henk en Seppe mogen dan wel hun mening hebben over Kenny, ze kunnen moeilijk ontkennen dat hij een durfal is die heel wat voor elkaar krijgt. Andere gasten die thuis weglopen, hebben geheid een ferme straf aan hun broek. Niet Kenny. Zie hem hier zitten... Zie *ons* hier zitten!
'Jij bent onwaarschijnlijk!' slaat Tim zijn beste vriend op de schouder.
'Kom, het laatste!"
'Om het af te leren, zeker?' hikt Tim.

Tim voelt zich een beetje ijl in het hoofd wanneer hij weer naar huis fietst, maar ook opgelucht. Het gesprek met Kenny heeft hem goed gedaan. Opgewekt gaat hij aan de keukentafel zitten. De anderen hebben al gegeten. Pep is naar zijn kamer. Illy ook. Maria leest de krant. Zij is ontgoocheld. Tim had haar toch kunnen laten weten dat hij later thuis zou komen. Bovendien is de avondmaaltijd het moment om als gezin bij elkaar te zijn. Maria verbijt haar boosheid en zwijgt. Ze schuift een bord vers bereide lasagne, Tims lievelingskostje, in de magnetron.

Terwijl Maria tegen hem aan praat, herschikt Tim het schoolmateriaal in zijn rugzak. Hij antwoordt 'ja' of 'nee' wanneer dat van hem verwacht wordt, maar gaat niet in op Maria's herhaalde voorzetten om tot een gesprek te komen. Ook niet wanneer de maaltijd op tafel belandt. Daarvoor dwalen zijn gedachten te zeer af naar Kenny's onwaarschijnlijke avontuur.
Maria's mobieltje gaat over. Het is Jozef. Er zijn nog geen drie zinnen gesproken, of Tim weet hoe de vork in de steel zit. Pa viert wel degelijk Nieuwjaar met zijn collega's.
'Het zal laat worden', fluistert Tim voor zichzelf uit. Maria's houding bevestigt zijn vermoeden.
Het gesprek is kort. Blijkbaar staat de muziek loeihard in de tent waar zijn vader uithangt, want Maria brult hem toe voorzichtig te zijn op weg naar huis.
De blikjes bier hebben Tims eetlust gesloopt. Een halve portie is alles wat hij vanavond aan kan. Het eten valt hem zwaar op de maag. Tim voelt zich verre van geweldig. Hij staat op en maakt aanstalten om het restant van zijn maaltijd in de koelkast te plaatsen, voor morgen.
'Niet in de koelkast, Tim. Nu nog niet!'
De jongen kijkt Maria niet begrijpend aan.
'Je bord moet eerst afkoelen. Dan pas mag het in de koelkast.'
'Stom', antwoordt Tim. 'Als ik het nu in de koelkast zet, koelt het toch ook af, of niet soms?'
'Ja, maar de extra koeling die dat vraagt kan de motor van de koelkast overbelasten', legt Maria uit.
'Pa verdient genoeg om een nieuwe koelkast te kopen als dat nodig is.'
Maria is verrast door het brutale antwoord. Zo kent ze Tim niet. Eerst reageert ze niet. Pas wanneer Jozefs zoon aanstalten maakt om de trap op te gaan, roept ze hem na.

'Tim, zie je dit rek hier?'
De jongeman loert tussen de treden door naar het metalen ding onder de trap.
'Het is een gloednieuw stapelrek voor schoenen. Pep, Tilly en jij worden vriendelijk verzocht om voortaan jullie schoeisel hier op te bergen.'
'Waar is dat goed voor?'
Minder verrast dit keer reageert Maria spits: 'Dat bespaart mij een hoop werk. Als iedereen zich aan die afspraak houdt, belandt er heel wat minder vuil op de trap en in de gang boven.'
Tim mompelt iets dat op 'zal wel' lijkt.
'Mag ik op je medewerking rekenen?'
'Ja, ja', klinkt het verveeld.
'Prima. Je pantoffels heb ik al onderaan het rek gezet.'
Dat had ze niet moeten zeggen. En al helemaal niet moeten doen. Waren Tims ogen kogels geweest, dan lag Maria Nachtegaele nu doorzeefd op de grond. Als zijn pantoffels hier beneden staan, wil dat zeggen dat iemand, waarschijnlijk Maria, ze uit zijn kamer heeft gehaald. De afspraak was nochtans duidelijk: zijn kamer is *zijn* terrein. Maria en Tilly hebben daar niets te zoeken. Dit moet hij zo snel mogelijk met zijn vader doorpraten. Vanavond is die niet meer te bereiken. Of in ieder geval niet aan te spreken over een probleem thuis. Kokend van woede stormt Tim de trap op. Tilly's kamerdeur staat open. Tim houdt in.
'Je moet echt iets aan die verdomde geur doen!' zegt hij, voldoende hard zodat het meisje het kan horen. Dan verdwijnt hij in zijn kamer waar Pep met zijn vrachtwagen speelt. Die produceert daarbij de nodige geluiden.
'Kop dicht!' snauwt Tim hem toe. Pep begrijpt de boodschap en houdt zich onmiddellijk koest.

Op de grond liggen metalen rails en donkerblauwe gordijnstof, klaar om opgehangen te worden. Tim wil het materiaal een schop geven, maar weet zich nog te bedwingen.
'Zeg, vuuroog,' klinkt het achter hem, 'als je een probleem hebt met mijn parfum, zeg dat dan in mijn gezicht.'
Hoe durft ze! Met een ruk keert Tim zich om. Hij kijkt recht in Tilly's ogen. Die lijkt niet onder de indruk. Ze merkt dat Tims ogen rood doorlopen zijn. Vermoeidheid? Drankgebruik? Of allebei? Tims jukbeenderen verstrakken. Hij staat op het punt om Tilly verrot te schelden, maar het enige wat effectief komt is een lijzig, dreigend verzoek.
'Wil je, onmiddellijk, mijn kamer verlaten?'
Uit zijn lichaamshouding maakt Tilly op dat het hem menens is. Niettemin blijft ze roerloos staan.
'Eruit, verdomme, eruit!' roept Tim. 'Dit is *mijn* kamer. *Mijn kamer!''*
'Tim Proot, wie denk je wel dat je bent? Tilly heeft je niets misdaan! Verontschuldig je, nu onmiddellijk!' Tim heeft Maria niet horen aankomen, maar ze is er wel. En ze heeft alles gehoord en gezien. Hier kan hij niet onderuit. Tims schouders zakken in. Met een waar doodgravergezicht biedt hij Tilly zijn verontschuldigingen aan.

Tilly vindt het niet meer dan terecht dat ma tussenbeide kwam. Ze begrijpt niet waarom Tim zich zo opwond. Zo slecht doen ze het toch niet in hun nieuwe situatie? Ja, het is wennen, voor iedereen. Maar er was geen enkele reden voor Tim om zo tekeer te gaan. Hij kan toch gewoon met haar praten?
Tilly glimlacht. Ze pakt pen en papier.
'Voor Tim' zet ze op de buitenkant van het dichtgevouwen blaadje. Binnenin schrijft Tilly dat ze niet kwaad op hem is,

en dat ze nu eenmaal moeten leren samenleven. Ze zou hem zelfs best sympathiek kunnen vinden als hij 's morgens niet meer op de badkamerdeur bonkt. Met een grijns om haar mond ondertekent ze het briefje.
Om hem niet op stang te jagen door aan te kloppen of binnen te gaan schuift ze het briefje onder de deur. Zo ziet ze niet dat Tim van de wereld is weggevlucht in zijn doolhovengame. Hij zal haar kattebelletje pas de volgende morgen ontdekken.
Die ochtend wordt er niet op de badkamerdeur geroffeld.

Wanneer Jozef een half uurtje later op het punt staat om naar kantoor te vertrekken, spreekt Maria hem heel even aan over Tims veelvuldige negatieve gedrag en zijn uitdagende houding tegenover haar. Het is ergerlijk én het gaat haar te ver. Kan Jozef…
'Het zal wel over gaan', onderbreekt hij Maria. 'Die jongen zit in zijn moeilijke jaren. Ik was ook niet bepaald de gemakkelijkste in mijn puberteit, geloof me. Het komt allemaal wel in orde.'
'Al dat negatieve, het zijn toch niet allemaal puberkuren', klaagt Maria terwijl ze de voordeur opent.
'Ik zal vanavond eens met hem praten, goed?'
Maria knikt. De toezegging van haar vriend komt er niet van harte, maar verder aandringen heeft weinig zin beseft ze.

Die avond is Jozef eerder thuis van zijn werk dan normaal. Na het avondmaal met Maria loopt hij naar boven. Tim kijkt verrast op wanneer zijn vader de kamer binnenstapt. Dat gebeurt bitter weinig de laatste maanden.
'En jongen, hoe gaat het op school?'

'Veel werk', antwoordt Tim nogal voorspelbaar.
'Eigenlijk ben ik niet gekomen om over school te praten, Tim.'
'Ik heb me gisteren toch verontschuldigd', verdedigt Tim zich meteen.
'Dat heb ik gehoord, ja. Maar met een verontschuldiging is niet altijd alles opgelost. Weet je,' spreekt Jozef zijn zoon vaderlijk toe, 'Maria heeft echt wel het beste met je voor.'
'Daar heb ik nog niet veel van gemerkt, pa. Mij geeft ze vooral de indruk dat ze ma wil vervangen.'
Tim verwenst dit gesprek. Als pa hem nu ook nog op zijn kop gaat zitten! Kunnen ze hem niet gewoon met rust laten?
'Maria wil alleen dat wij een gelukkig gezin vormen.'
Wat moet Tim daarop zeggen? Wat kan hij zeggen? Schouders ophalen dan maar.
Jozef voelt dat het gesprek met zijn oudste zoon niet echt vlot. Hij wil de zaken echter niet dramatiseren. 'Probeer een beetje je best te doen. Doe het voor mij.' Met een knipoog verlaat Jozef de kamer. Vaderlijke plicht gedaan. Incident gesloten. Voor hem én voor Tim. Tevreden stapt Jozef de huiskamer in.

[10] **De beslissende kloof?**

'Verdomme!' Met een smak gooit Tim de hoorn op de haak. Pep kijkt hem niet begrijpend aan.
'Het is ook altijd hetzelfde met pa!' Tim slikt zijn teleurstelling weg. 'We gaan niet, Pep. Pa moet overwerken, hij kan hier onmogelijk op tijd zijn', countert hij Peps vragende blik.
'En de wedstrijd?' Pep begrijpt het nog steeds niet.
'Pa zegt dat we 'm dan maar op televisie moeten volgen. Gezellig...'
Tims gezicht staat op onweer. Uit ervaring weet Maria dat ze de jongen nu omzichtig moet benaderen. Anders ontploft de bom.
'Dat is vervelend nieuws,' sust Maria, 'maar je pa staat dicht bij een mogelijke promotie. Hij kan niet anders. Hij vindt het zelf minstens even erg, en ik ook.'
Zij ook. Wat weet zij van voetbal? Ma, die volgde het voetbal. Tim denkt weemoedig aan zes seizoenen geleden, toen het team van hun stad voor het laatst landskampioen werd. Hij was maar een jaartje ouder dan Pep nu, maar toch herinnert hij zich nog alles van die magische avond waarop de beslissing viel. De sfeer, de spanning, de ontlading toen tien minuten voor het einde het bevrijdende doelpunt gescoord werd. Pa zong uit volle borst het clublied mee, ma danste met hem in het rond op haar hoge hakjes. Duizenden supporters waren uitgelaten en vrolijk. Vandaag staat het team

voor het eerst weer aan de leiding. En hoe! Als ze vanavond hun eeuwige rivaal verslaan, komen ze maar liefst twaalf punten voor. Het kampioenschap ligt dan binnen handbereik, ook al is het nog maar eind januari.
'Kan ik jullie een plezier doen met ijs?' vraagt Maria.
Pep en Tilly happen meteen toe. Tim aarzelt. Hij is dol op ijs. Tegelijk verwenst hij zijn pa, en bij uitbreiding de hele wereld, te beginnen met Maria.
'Jij ook, Tim?'
Tim schudt het hoofd.
'Weet je het zeker?'
'Ja, mens!' antwoordt Tim bars. 'Sorry' komt er schaapachtig achteraan.
'Ik begrijp dat je teleurgesteld bent, maar daarom hoef je mij nog niet aan te vallen.'
Tim haat dit soort situaties. Pa die hem in de steek laat, een droom van een wedstrijd die aan hem voorbijgaat, en dan nog op zijn donder krijgen ook. Hij haat het uit de grond van zijn hart!
Opnieuw telefoon.
'Het is voor jou, Tim, een zekere Kenny.' Nieuwsgierig neemt Tim het toestel van Maria over. Kenny belt hem zelden of nooit.
'Kenny, wat nieuws?' Tim vermoedt dat zijn vriend gisteren naar de jeugdclub is geweest, dat doet hij bijna elke vrijdag. Pa vindt Tim nog te jong om uit te gaan, en dus moet hij het stellen met Kenny's ongetwijfeld flink opgeschroefde verhalen over drank en meisjes.
Tim begint te stralen. Hij haakt in.

'Kenny heeft twee kaarten voor de wedstrijd. En ik mag mee. Geweldig!'

Hij volgt Kenny's raad op. Niet vragen, maar zeggen wat je gaat doen. Als je ouders om toestemming vraagt, is hun antwoord toch altijd nee.
Pep kijkt zuur. Maria twijfelt.
'Je laat me toch zeker wel gaan?' vraagt Tim. Zijn stem slaat over.
Maria kijkt even naar Pep, dan naar Tim. Voor Pep is dit triest, en Jozef wil niet dat Tim 's avonds alleen op straat rondloopt. Tegelijkertijd kan ze Tim een positief signaal geven. Dat is haar tot nu niet gelukt. Bovendien gaat hij met een vriend. Ze kent Kenny wel niet, maar wie een duur voetbalkaartje aan iemand cadeau doet, moet wel een echte vriend zijn.
'Het is goed, je mag gaan.' De waarschuwingen en condities die Maria er achteraan gooit, dringen amper tot Tim door. Hij zal de wedstrijd 'live' kunnen bijwonen, met zijn vriend. Dat wordt puur genieten. Roepen, zingen, drinken, feesten!

Terwijl Pep, getroost met chips, nootjes en cola de wedstrijd op televisie volgt, leest Maria een boek. Boven hangt Tilly aan de lijn met Daphne. De meisjes hebben heel wat te bespreken, want Tilly ligt in de knoop met zichzelf. Over Tim. Ze begint iets voor de jongen te voelen, al weet ze nog niet goed wat. Daphne is de enige waarmee ze over die gevoelens en twijfels kan praten. Tilly stelt zichzelf in vraag, en dat overkomt haar zelden. Misschien is dit zelfs de eerste keer. Ziet ze Tim graag? En, zoja, waarom? Waarom hij? Is het omdat ze hem dagelijks in vertrouwde, soms zelfs intieme momenten ziet? Of doet dat er niet toe en zou ze die kriebels ook voelen als hij bij haar in de klas zat? Tilly weet het niet. Ook Daphne heeft geen kant en klare antwoorden.

Uiteraard heeft zij gemerkt dat Tilly de afgelopen weken uit haar gewone doen is. Dat Tim Proot daar iets mee te maken heeft, weet ze ook. Maar wat haar vriendin met die gevoelens moet? Geen idee. Valentijn nadert, misschien kan Cupido een en ander forceren.

Wanneer Kenny en Tim samen met tienduizenden supporters het stadion verlaten, verkeert het duo in lichte euforie. De uitslag mag dan met 2 – 2 wat tegenvallen, de 'bierscore' staat op 3 – 3, en die heeft voor genoeg tegengewicht gezorgd. De feestelijke ambiance om hen heen doet de rest.
'En nu naar de jeugdclub!' kreet Kenny.
'Whooo!' remt Tim hem af.
'Wat? Je gaat toch niet direct naar huis?'
'Maria. Ze doet me wat als ik tegen elven niet thuis ben.'
'Maria? Wat kan zij je maken? Het is je moeder niet, of wel soms?'
'Nee, dat mens zal nooit mijn moeder zijn!' luidt het overmoedige antwoord.
'Vooruit dan, let's go!'
Tim aarzelt nog.
'Weet je wat jouw probleem is? Jij moet leren genieten van het leven!' Kenny sleurt Tim mee.
Heeft hij een keuze? Kan hij weigeren? Dankzij Kenny heeft hij de wedstrijd kunnen zien. Typisch Kenny. Hij verkoopt geen flauwe kul. Hem hoor je niet zeggen dat hij iemand mag, maar hij doet je wel een kaartje cadeau voor de wedstrijd van het jaar.
'Proot, ik heb geen zin om hier wortel te schieten.'
'Goed. Even dan. Ik kan altijd zeggen dat het ons veel tijd kostte om het stadion uit te komen.'
'Goede bal', lacht Kenny. 'Zeer goede bal zelfs.' Enthousiast

beent hij de Stadionstraat uit, zijn linkerarm kameraadschappelijk om de aarzelender stappende Tim heengeslagen. 'We are the champions! We are the champions!'

Bij de volgende thuiswedstrijd zitten Tim, Pep en Jozef wel in het stadion. Voor één keer speelt hun favoriete team op zondagmiddag en dan kan Jozef zich makkelijker vrijmaken. De wedstrijd is fantastisch. De tegenstander moet met 4-0 weer huiswaarts vertrekken, terwijl de eeuwige rivaal slechts gelijk speelt. Hun club loopt verder uit!
Het feest is helemaal compleet wanneer Jozef de jongens meetroont naar de McDonalds. Nog een oude zondagtraditie, al is het dan maar voor één keer. Maria hoeft dit niet te weten, dit is hun geheimpje.
Pep schrokt zijn maaltijd in no time op. Al snel haalt hij halsbrekende toeren uit in de speeltuin. Bij het verorberen van een tweede Big Mac probeert Tim zijn vader te vertellen dat hij thuis nog nauwelijks ademruimte heeft. Het lijkt wel alsof Maria steeds over zijn schouders meekijkt en hem in de gaten houdt bij alles wat hij doet.
'De avonden zijn nog het ergste', klaagt Tim. 'Maria wil altijd naar haar televisieprogramma's kijken en voetbal staat niet op haar verlanglijstje. Op mijn kamer naar muziek luisteren kan ik ook al niet, want Pep moet slapen.'
'Je hebt toch een iPod, én een hoofdtelefoon voor je gewone installatie. Dan is er toch geen probleem?'
'Zal wel', mompelt Tim voor zich uit terwijl hij de laatste frietjes naar binnen werkt.
'Mannen onder elkaar. Dat moeten we meer doen.' Jozef slaat Tim joviaal op de schouder.
'Als jij wat meer tijd voor ons had, zou dat kunnen' wil Tim zeggen, maar die woorden slikt hij in.

[11] Liefde, school, moeders en vader

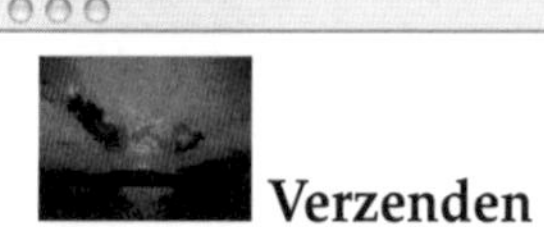

Verzenden **Woensdag 25/03, 14:07**

Hi D, weet je nog dat ik je afgelopen zondag vertelde over de gebeurtenissen hier?
Hoe ik Tim in z'n short zag rondlopen
Met die geweldige torso
En hoe hij naar me lachte toen hij doorhad dat ik hem bekeek
Ik weet dat je dat laatste niet gelooft, maar ik zweer het je!
Deze week is hij al de hele tijd goed gehumeurd
Al kan dat ook met het voetbal te maken hebben
De club is e-i-n-d-e-l-i-j-k kampioen
Daar spreken de Proots nu al weken over, wat een gedoe!
Op het eind werd het nog spannend, hebben ze mij gezegd
Maar ik had het over Tim, zoals zo vaak de laatste tijd
Je vroeg me of hij 'het' al doorhad
Zeker weet ik het niet, maar ik denk het wel
Ik heb hem toch al twee keer diep in de ogen gekeken toen hij uit de badkamer kwam
En toen hij, echt!
In elk geval, ik heb beslist om in actie te komen
? Niet echt neem ik aan
Mail me, Illy ♠

Verzenden **Woensdag 25/03, 14:10**

Illy schat, je bent een poco loco! Dat je bent, OK. Dat je Tim als een aanpakt, fijn. Maar kijk uit voor je 'in actie komt'. Ben je er zeker van dat het is dat je voelt? Of wil je alleen heel veel ?
Je kunt maar beter heel goed nadenken voor je begint te met iemand die elke morgen bij je in de badkamer staat
Daph

Verzenden **Woensdag 25/03, 14:10**
High Priority!

Zou jij misschien niet graag elke ochtend bij je vriendje in de badkamer staan soms?
Bovendien, wie vond Tim maanden geleden al een spetter?
Een zekere D, niet?
Ciao,
Illy ♠

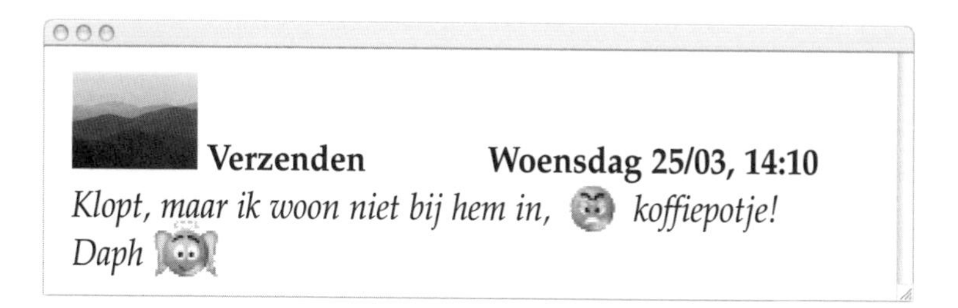

Verzenden **Woensdag 25/03, 14:10**

Klopt, maar ik woon niet bij hem in, koffiepotje!
Daph

Verzenden **Woensdag 25/03, 14:19**

Sorry voor het lange w8en D, ik voelde me ff op m'n teentjes getrapt

Je weet hoe gevoelig het allemaal ligt – het heeft weken geduurd voor ik zelf wist wat ik wilde!

Anyway, ik ga het er toch op wagen

Volgende week is het paasvakantie

Dan ben ik genoeg met Tim alleen thuis

Remember hoe het gelopen is met Pieke, de oudere zus van Anneke Jansen

Zij is toch ook wat begonnen met de zoon van haar stiefpa?

En het gaat perfect

De winkel die ze samen runnen, draait prima

Ze wonen in de mooiste wijk van de stad

En Pieke heeft zelfs al een kind

Weet je nog dat we met z'n allen rijst gooiden bij het stadhuis?

Da's nog geen vol jaar geleden!

Met Tim en mij hoeft het echt niet zo snel...

Maar veel hebben we niet te verliezen, toch?

Je Illy ♠

Verzenden **Woensdag 25/03, 14:21**

'xcuses aanvaard, liefje! Ik ben alleen maar bezorgd, da's al. Tenslotte blijf je met Tim onder tzelfde dak, ook als het niet lukt, of als het na verloop van tijd misloopt. Ik wil je liever niet zien, en al helemaal niet zien als hij niet zo'n

blijkt te zijn als je nu denkt! Je zou niet de eerste zijn die van LDVD bij me komt uit
Daph

Verzenden **Woensdag 25/03, 14:22**

Lief hoor, maar don't worry
Ik weet echt nog wel wat ik doe
Liefde maakt blind, niet dom!
Ik ga nog wat leren. Ik heb proefwerken
Denk nu niet dat ik ineens een stud ben, geloof me ik wil gewoon goeie cijfers halen
CU,
Illy ♠

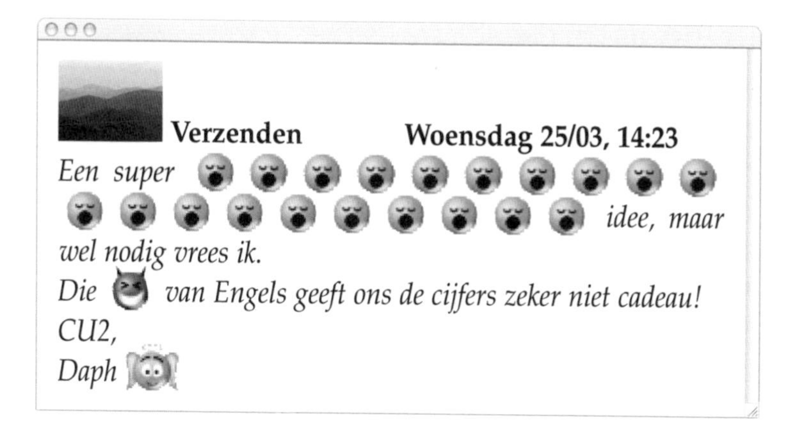

Verzenden **Woensdag 25/03, 14:23**

Een super idee, maar wel nodig vrees ik.
Die van Engels geeft ons de cijfers zeker niet cadeau!
CU2,
Daph

'Hoe was het?' wil Maria weten wanneer Tim thuiskomt na een wiskundeproefwerk.
Moet ze dat nog vragen? Straalt zijn hele houding niet uit dat het een kolossale flop geworden is? Ma zag vroeger meteen wanneer iets slecht was gegaan. Zonder uitleg. Moet hij er een tekeningetje bij maken? Of een vendiagram misschien? Geërgerd gooit Tim de papieren op de keukentafel.
Maria ontvouwt de vormeloze bundel en legt de pagina's op volgorde. Ze bestudeert de resultaten van de respectieve oefeningen. Tim heeft zwaar geknoeid. Alles bij elkaar geteld komt ze op niet meer dan 4,6 uit. Onvoldoende. En hij mag blij zijn dat hij geen extra punten verliest voor de presentatie. Dit is een slordig boeltje.
'Tim, ik...'
'Ik hoef geen preek', volgt het verweer meteen.
'Het is niet mijn bedoeling om je een preek te geven. Ik wil je helpen.'
'Helpen? Ga jij mijn volgende proefwerk maken misschien?' Tim schenkt een colaatje in.
'Nee.' Maria kijkt hem strak aan. 'Maar jij kunt beter dan dit.'
'Zegt wie?'
'Zeg ik.'
'Jij...' Tim haalt zijn schouders op en neemt een slok van zijn cola.
Maria heeft genoeg van dat eeuwige getrek met de schouders van Tim. Haar geduld raakt op. Dat de jongen het vertikt op een fatsoenlijke manier met haar om te gaan tot daar aan toe, ze kan hem moeilijk dwingen haar aanwezigheid te appreciëren. Maar dat hij zijn studie vergooit, mag ze niet toelaten. Ze heeft het met Jozef expliciet over de opleiding van de drie kinderen gehad. Omdat hij zelf vaak afwezig

is, gaf Jozef haar de vrije hand. Bij Tim moet er ingegrepen worden. Nu.
'Tim Proot, luister eens. Eén slechte toets is geen ramp, twee slechte resultaten zijn dat ook niet, maar wie na een paar tegenvallende toetsen opgeeft, staat wel rampen te wachten.'
Daar komen de schouders weer.
'Bekijk dit proefwerk.' Tim kan het niet echt opbrengen.
'Kijk en leer van je fouten. Je haalt een 4,6. Je kunt het tekort de volgende keer gemakkelijk goedmaken als je er voor gaat.' Tim wil de keuken verlaten.
'Tim...' De jongen kijkt niet om.
'Tim Proot, loop niet weg zoals…'
Was hij in zijn achterste gestoken door een wesp, de opgeschoten tiener met de warrige haardos had niet sneller zijn hoofd kunnen draaien.
'Zoals wie? Zoals mijn ma?'
'Jij,' Tims rechterwijsvinger priemt, 'jij zult nooit mijn moeder vervangen! Nooit!'
Maria staat als aan de grond genageld. Ook minuten later nog, wanneer Tim al lang en breed weer op zijn kamer zit. Dit was helemaal niet de bedoeling. Ze wou Tim het verschil duidelijk maken tussen volhouders en opgevers. Ze had niet gedacht dat er een link te leggen viel naar Tims moeder. Koortsachtig probeert ze het gesprek woord voor woord in haar hoofd te reconstrueren op zoek naar de 'trigger' die Tim deed ontploffen.

Liggend op bed laat ook Tim het gesprek de revue passeren. Hij begrijpt het niet. Naar school gaan verliep altijd redelijk vlot, zelfs het eerste trimester van dit jaar nog. Enkel voor wiskunde haalde hij met kerst net niet de helft.

Natuurkunde was ook een behoorlijk zware brok, maar hij slaagde er wel nog voor. Sinds de kerstvakantie lukt niets meer. Tim kan zich niet concentreren. In feite kan het hele pakket leerstof hem gestolen worden. Alsof dat nog niet erg genoeg is, haat hij ook de vrije woensdag- en zaterdagmiddagen. Dan heeft Maria het voor het zeggen en zit hij met Pep opscheept in een veel te kleine kamer. Terwijl Tilly alle ruimte heeft in wat vroeger, het lijkt wel eindeloos lang geleden, *zijn* kamer was. *Zijn* terrein. *Zijn* territorium. Nu heeft hij verdomme nog amper een privéhoek! En pa, pa is er nooit. Wat haat Tim de avonden waarop pa weer eens belt dat hij niet thuis zal zijn voor het avondeten. Dat hij weer blijft overwerken.

[12] Zalig Pasen

Begin april, paasvakantie. Al drie dagen heerst een plakkerige, drukkende warmte die de huizen niet uitkan omdat al wat buiten komt tegen een muur van water aanbotst. De ene sportmanifestatie na de andere wordt afgelast. In elke nieuwsuitzending domineren de verzopen terreinen en ondergelopen kelders.

Aan de Scheldedreef 15 bestrijden Tilly, Daphne, Emma en Pep op de eerste maandag van de vakantie de verveling met een gezelschapsspel. Tim, de eerste keuze van Tilly, Daphne en Emma, heeft vriendelijk bedankt en strategisch zijn jonge broer als alternatief naar voren geschoven. Niet dat een andere bezigheid hem in beslag neemt, maar vrijwillig het wufte universum van Tilly betreden en ook nog een keer bestookt worden met de afwijkende geuren van Daphne en Emma leek hem geen optie.

Langzaam schuift Tims linkerwijsvinger over de buitenste ring van de 'Turf Maze on the Common'. Naarmate hij het centrum van de poster nadert, versnelt Tim. Daarna begint hij opnieuw met zijn rechterwijsvinger. Dat gaat aanzienlijk vlotter. In een mum van tijd bereikt hij de standplaats van de es. De es, symbool van trouw en voorzichtigheid, die ervan houdt het lot te tarten. Het blijft Tim verbazen hoe groot het verschil is in reactiesnelheid tussen zijn linker- en rechterhand. De werking van de hersenen. Als ze dààr nu eens over leerden op school. Dat is tenminste boeiend! Pfft, school. Tim weet dat het de laatste tijd slecht gaat. Zo slecht, dat hij zichzelf dringend moet herpakken, wil hij niet blijven zitten. Pfft. Dat weten is één ding. Er iets aan doen is iets anders. Probeer je maar eens op te laden voor vakken die even boeiend zijn als het seksleven van eencelligen.

Tims mobieltje gaat over. Pa belt vanaf zijn 'teambuilding vierdaagse'. De aanhoudende stortregens sturen ook daar alles in het honderd. De paintball en het avonturenparcours moesten al afgelast worden en het bedrijf slaagde er niet in om snel, snel een overdekt programma te organiseren. Bovendien kreeg de helft van de personeelsleden al telefoon van thuis omdat daar een of ander overstromingsprobleem heerst.
'Probeer je team dan maar te builden', doet pa lollig. 'Al een geluk dat wij vlakbij een waterkeringmuur wonen en zulke problemen niet kennen. Ik kan jou gewoon bellen voor een gezellig praatje.'
Het lijkt Jozef volledig te ontgaan dat zijn zoon zich het gepraat maar laat aanwaaien. Tim baalt. Antwoorden geeft hij niet. Als het alleen over pa's werk of over koetjes en kalfjes gaat, hoeft hij geen gesprek. Wat interesseren die dingen hem? Na nog enkele verloren minuten rondt Jozef af, overtuigd dat hij een zinvolle inspanning heeft geleverd om een goed contact te onderhouden met zijn oudste zoon.
Tim keek niet bepaald uit naar de fulltime afwezigheid van zijn pa. Maar liefst vier dagen en vier nachten is hij aan de grillen van Maria overgeleverd. Tot nu valt het wel mee, maar dat is vooral zijn verdienste. Tim doet er alles aan om zoveel mogelijk uit haar buurt te blijven.
Een klop op de deur. Het is Tilly. Of hij iets fris wil? Cola, een ijsje? Nee dus. Wat bezielt haar toch, vraagt Tim zich af.

De laatste dagen lijkt het alsof ze haar kamer niet uit kan zonder bij hem aan te lopen.
'Of ja, neem toch maar een cola mee', bedenkt Tim zich.
Dan hoeft hij zelf niet naar de keuken, waar Maria rondwaart.
'Okidoki, vuuroog!'
Even later levert Tilly de bestelling in zijn kamer af. Ze installeert zich op zijn bed.
'Wat ben je aan het doen?' vraagt ze belangstellend.
'Studeren. Wiskunde.'
'Saai dus.'
Tim knikt. Hij is enigszins verrast. Tilly haalt steeds uitstekende cijfers voor wiskunde, maar blijkbaar haat ze dat vak dus ook.
'Nog veel te doen?'
Tim knikt.
Tilly buigt zich over zijn taak.
'Ontbinden in factoren. Een hele klus.'
'Mijn hersenen raken er van in ontbinding.' Tilly proest het uit. Tim kijkt haar wat verbaasd aan. Zo geestig was zijn grapje nu ook weer niet.
'$9 - y^2$ Wat heb je daar nu aan in het echte leven?'
'Niets. Volgens mij hebben ze wiskunde uitgevonden om ons te pesten.' Tim grinnikt. Die Tilly valt best mee. Zeker wanneer ze in zijn plaats de oefening oplost.
'$(3 + y).(3-y)$ Weet je het zeker?'
'Tuurlijk. Ik ben vrij goed in wiskunde. Waarmee ik niet gezegd heb dat het mijn lievelingsvak is.'
Om haar uitdrukking kracht bij te zetten steekt Tilly haar tong uit. Wat een eind, denkt Tim.
'Sààì!' Met een knipoog geeft het meisje de ingevulde oefening terug aan Tim.

'Bedankt.'
'Graag gedaan, vuuroog. Als ik iets voor je kan doen...' Tilly verlaat de kamer. Tim glimlacht. Ze is de kwaadste nog niet.

Geknield onder de trap knoopt Tim de veters van zijn sneakers. Twee voor drie. Kenny kan hier elk moment zijn. Tim staat vast klaar, dan hoeft Kenny niet binnen te komen. Hij wil zijn vriend liever niet confronteren met het suffe wereldje waarin hij gevangen zit. De tas… Hij was bijna zijn sporttas vergeten! Zonder zijn schoenen uit te doen haast hij zich terug naar zijn kamer.
Drrrrrrrriiing! Kenny lijkt de bel wel door de muur te willen rammen.
'Ik kom, ik kom!' roept Tim terwijl hij de trap afholt.
'Je bent op tijd terug voor het eten, Tim?' steekt Maria haar hoofd om de keukendeur.
'Ja, ja', antwoordt Tim waarna hij de voordeur sluit.
'Waar is die zak voor?' vraagt Kenny.
'Alibi. Zo denken ze thuis dat ik ga sporten.'
Kenny prijst zich gelukkig. De enige keren dat hij nog uitvluchten of verzinsels opdist, zijn die echt nodig. De jongens haasten zich naar het centrum. Tijdens de vakantieperiode opent de jeugdclub om half vier. Ook al zijn ze beiden nog te jong, Kenny komt er al geruime tijd en heeft er 'zijn contacten', zoals hij dat noemt. Tim gaat ervan uit dat het hem ook nu lukt om binnen te komen, net zoals toen in januari, na het voetbal. Maar op de hoek van de Drabstraat staat Kenny ineens stil.
'Problemen, Timmy. Vandam staat bij de ingang. Waarschijnlijk omdat het de eerste dag van de vakantie is.'
'Is dat die lange zwik met zijn colbertjasje?'

'Yep. Als eindverantwoordelijke controleert hij geregeld of er geen te jonge bezoekers het jeugdhuis proberen binnen te komen. De andere twee zijn vrienden van me.'
'En nu?'
'Heeft Kenny Budts al ooit een probleem onopgelost gelaten?'
Kenny's hele houding maakt Tim duidelijk dat hij een plannetje klaarheeft. Dit is waarschijnlijk niet de eerste keer dat hij op Vandam botst.
'Achterom, snel!'
Kenny zet het op een lopen met Tim in zijn kielzog. Ze moeten bijna het hele blokje om. Tim ziet niet in hoe Kenny denkt zo de jeugdclub binnen te komen. Tot die hijgend de drankencentrale inschiet. De binnenplaats is verlaten.
Kenny spurt naar het achtermuurtje en voelt aan de deur die uitkomt op het terrein van de jeugdclub. Geen beweging in te krijgen. Zonder commentaar plukt Kenny twee lege bakken van een stapel. Seconden later hebben zijn klauwende handen de bovenkant van het muurtje vast en trekt hij zich op.
'Kom je nog?'

In een hoekje van de jeugdclub genieten de twee illegale aanwezigen na van hun geslaagde actie. Tim voelt zich nog niet helemaal op zijn gemak. Maar zodra ze binnen waren, bestelde Kenny twee biertjes. Het leek de normaalste zaak van de wereld. Kenny is een crack. Wanneer hij na een paar stoere verhalen en een tweede biertje boudweg stelt dat zijn ma hem niets meer te zeggen heeft, komt bij Tim de woede boven over zijn recente aanvaring met Maria. Vooral het feit dat ze hem durfde te bekritiseren, zit Tim hoog. Waar bemoeit dat mens zich eigenlijk mee? Het zal zijn zoals bij

Kenny. Maria heeft hem de les niet te spellen. Zeker zij niet. Of denkt ze misschien dat ze de heilige moeder is? Kenny, die eerder op de middag al een paar biertjes scoorde bij een andere vriend, wordt grof in de mond. Een film die hij zag stelde de heilige moeder voor als niet meer of minder dan een prostituee. Dat gaat Tim te ver. Liever maakt hij een toespeling op Maria's familienaam. Volgens hem heeft pa zich laten verleiden door de zang van de nachtegaal.
'Ze zingt toch niet echt?' lalt Kenny.
'Oh, jawel!' reageert Tim. 'Maar ze mag dan Nachtegaele heten, het mens kan geen noot zingen. Uren staat ze in de keuken te kwelen. Niet om aan te horen! En die liedjes zijn te stom om te helpen donderen. Altijd dingen van The Beatles, godbetert!'
'The Beatles? Jezus! Zo erg is zelfs mijn ma niet!'
Tim lacht uitbundig. Hij heeft Kenny zowaar op zijn eigen terrein verslagen. Voor een keer heeft hij de grootste thuisgruwel. Maar of hij daar nu blij mee moet zijn?
Wanneer de twee laat in de middag de jeugdclub verlaten, spreken ze af om de dag erop naar de bioscoop te gaan. Kenny kent een onfeilbaar trucje om gratis naar binnen te sluipen, beweert hij, maar het werkt alleen tijdens de ochtendvoorstelling. Wat Tim niet weet, is dat Kenny's tante deel uitmaakt van de onderhoudsploeg die elke dinsdagmorgen het cinemacomplex poetst.

Tim is slechts tien minuten te laat voor het avondeten. Tot zijn verbazing zit alleen Tilly aan de keukentafel. Pep had verschrikkelijke kiespijn. Toen de klassieke middeltjes niet hielpen, belde Maria de tandarts voor een spoedafspraak. Ze zijn net weg.
'Ga maar zitten.' Tilly neemt een bord en schept Tims eten

op. De ketchup staat al op tafel, merkt Tim. Maria laat die altijd achterwege in de vergeefse hoop dat hij van zijn manie verlost zal raken om ongeveer alle warme maaltijden met een klodder tomatensaus te bekronen.
'Jij ook?' vraagt Tim terwijl hij zijn aardappelen onder een dikke laag tomatenbrij verbergt.
'Graag. Ik ben verzot op ketchup, maar ma wil het niet.'
Tim glimlacht, toch één ding dat hij met zijn stiefzus gemeen heeft.
'Leuk, zo samen eten.'
Zijn prima humeur maakt dat Tim vlot meegaat in het gesprek dat Tilly begint, tot grote tevredenheid van het meisje. Het weer komt aan bod, net als Tilly's bezoek en Tims uitstapje. Tim vertrouwt haar toe dat hij niet is gaan sporten.
'Vergeet je sportkleding niet nat en vuil te maken', grinnikt Tilly samenzweerderig. 'Dan wordt je alibi geloofwaardiger.'
Tim kijkt haar dankbaar aan. Tilly geniet. Vanmiddag zei ze Daphne en Emma nog dat er slechts twee mogelijkheden waren. Of Tim valt meteen voor haar charmes zodra ze 'de aanval' inzet, of er moet wat tijd overheen omdat hij schuchter is. Maar dat er iets in de lucht hangt tussen hen staat voor Tilly buiten kijf. Is Tim de laatste tijd niet vaak bijzonder lief geweest? Heeft hij haar al niet een paar keer diep in de ogen gekeken? Durfde hij maar wat meer. Tims stille aard maakt dat Tilly niet zo zeker is van haar zaak. Misschien verkijkt ze zich volledig op timide Tim. Misschien stellen de uitgewisselde blikken in zijn ogen niets voor. Het is een gedachte die Tilly maar moeilijk kan aanvaarden. Het zou de tweede keer zijn dat Tim haar zelfzekerheid aan het wankelen brengt. Zover wil ze het niet laten komen.

'Heet!' zucht Tim wanneer hij een bord in de dampende teil afwaswater onderdompelt. Achter hem doet Tilly haar eeuwige zwarte blouse uit. Haar sexy topje laat een diepe inkijk toe. 'Peaches' staat erop geprint. Wellustig volgt het opschrift de bolle rondingen van haar lichaam. Wanneer Tim een glas op het aanrecht plaatst, raakt Tilly's hand de zijne. Verrast kijkt de jongen op. Het glimlachende gezicht dat hem sprankelend aankijkt, de blote schouders eronder en de nu zachtjes over zijn hand wrijvende meisjeshand nagelen Tim Proot met een alles verpletterende kracht aan de grond. Zijn blik zakt een beetje. 'Peaches'.
'Lust je perziken?' vraagt Tilly wulps.
Tim voelt hoe miljoenen druppels bloed met een rotvaart door zijn lichaam naar boven spurten. Zijn hoofd verkleurt in recordtempo. Wanneer Tilly ook nog voorover buigt, hem omhelst en haar donkerrood gestifte lippen vol op zijn mond plant, wordt zijn adem afgesneden.
Hoelang duurde de kus? Heeft hij eigenlijk óók gekust? Waar waren zijn handen? De hare? Tim kan het niet navertellen. Hij was even niet op deze wereld. Wat hij zich nog wel herinnert, is dat Tilly hem op het hart heeft gedrukt haar voortaan met Illy aan te spreken. 'Iedereen die van me houdt, noemt me zo.'

De film gaat voorbij zonder dat Tim er ook maar een moment iets aan heeft. Zelfs de vele stunts maken nauwelijks indruk. De jongen kan alleen maar denken aan wat hem gisteren overkwam. Hij wil zijn verhaal kwijt. Bij een glas cola in de cafetaria laat hij Kenny eerst uitrazen over de film, maar dan komt het eruit, hortend en stotend. Het is voor Tim niet makkelijk om dit aan Kenny toe te vertrouwen. Kenny heeft zoveel meer ervaring met meisjes. Maar

bij wie kan hij anders terecht? En Tim heeft raad nodig. Hij moet zich voortaan een houding weten te geven wanneer Tilly in de buurt is. Hoe doet hij dat het beste? Vanmorgen, in de keuken, bestierf hij het bijna toen ze doodgemoedereerd 'Hoi, Timmy', zei en even een hand op zijn schouder legde. Ze gaf hem nog net geen kus. Wat als Maria merkt dat er iets aan de gang is tussen hen?
'Bofkont,' grijnst Kenny, 'andere gasten jagen op meisjes, kopen cadeaus, wachten in de gietende regen om toch maar een glimp van hun geliefde op te vangen. Jou komen ze gewoon in je eigen huis versieren.'
'Je moet er niet om lachen, Kenny.'
'Doe ik ook niet, Timmy. Jij hebt gewoon enorm veel geluk.'
'Vind je?'
Je bent toch niet verliefd op haar?'
'Ik denk het niet', aarzelt Tim.
'En het is geen superlelijk mokkel?'
Tim schudt iets te overtuigend zijn hoofd.
'Dan heb jij enorm veel geluk, zoals ik al zei.'
Tim begrijpt er niets van.
'Je leeft onder hetzelfde dak, dus ben je veel bij haar in de buurt. Zij wil je graag en jij bent niet verliefd, waardoor jij kunt doen waar je zin in hebt.'
Tim begrijpt er nog steeds niets van.
'Welaan dan. Sla je slag, kerel! Laat haar denken wat ze wil denken. Je hoeft er niet van te houden om ervan te snoepen, snap je?'
Tims mond valt open. Zo had hij het nog niet bekeken. Maar wil hij het zo wel bekijken?
'Ik zou het wel weten als ik in jouw schoenen stond', likkebaardt Kenny. 'Easy come, easy go!'
Een licht gevoel van jaloezie overvalt Tim. Kenny heeft niet

het minste probleem met dit soort situaties. Hij stapt er licht overheen en weet altijd een gemakkelijke oplossing. Kon hij maar zo vlot zijn.

Jozef keert vermoeid terug van zijn teambuildingvierdaagse. Hij vraagt meteen aan Tim hoe het thuis geweest is.
'Ik heb het overleefd.' Jozef kan uit de toon niet dadelijk afleiden of Tims opmerking cynisch bedoeld is.
Maria is een en al lof over het gedrag van de drie kinderen. Tim kan een grijns amper onderdrukken. Niet moeilijk dat ze ook over hem tevreden is. Het is hem vier dagen achtereen gelukt om zo ongeveer onzichtbaar te blijven in zijn eigen huis.
'Dat verdient een beloning. We gaan naar de bioscoop.'
Pep maakt een vreugdedans. Tilly pakt meteen de krant en vindt al snel het overzicht van alle vertoningen. In gedachten ziet ze zichzelf al naast Tim zitten in de donkere bioscoopzaal. Kansen zat om hem even te prikkelen.
'Ik wil hier naartoe!' Peps vinger rust op de affiche van de nieuwste Disney.
'We zullen ons moeten opsplitsen,' stelt Jozef, 'ik ga met Tim en Tilly mee. Blijf jij bij Pep?'
Maria zucht. Zij zag dit avondje uit als een gezamenlijke familieactiviteit. Opgesplitst in twee groepen lijkt het haar niet half zo leuk. Maar er is nu eenmaal het leeftijdsverschil.
'Gaan we dan ook weer friet eten bij McDonalds, zoals na het voetbal?' vraagt Pep onschuldig.
Maria staat versteld. Is Jozef achter haar rug met zijn zonen fastfood gaan eten terwijl zij dag in dag uit haar best doet om gezonde kost klaar te maken? Haar zin om er met de hele familie op uit te trekken is nu helemaal weg. Het

avondje bioscoop zal niet voor vandaag zijn. De familie Proot-Nachtegaele blijft thuis. Tot grote ergernis van Pep, Tim en Tilly. Ook Jozef had zich zijn thuiskomst anders voorgesteld. Hij moet zich verantwoorden en belooft Maria dat uitstapjes naar McDonalds niet meer zullen voorvallen. Hij waardeert het enorm dat ze zich inspant om gezond te koken en heeft er niet veel moeite mee om zijn fout toe te geven. Het is ook voor de kinderen veel beter zo.
De volgende dag is het incident vergeten en vergeven. Behalve bij Tim. Maria moet altijd het laatste woord hebben. Dat pa zich zo door haar wil laten domineren moet hij weten, maar ik ben oud genoeg om zelf te beslissen wat ik eet of niet eet, maalt het in zijn hoofd.

Aan het einde van de paasvakantie raapt de hele familie, Jozef inbegrepen, paaseieren. Ook al wordt hij een keer of drie gebeld van op kantoor, pa is er voor Pep en het kereltje amuseert zich kostelijk. Hetzelfde kan niet gezegd worden van zijn grote broer. Tim is er wel, holt mee rond, plukt af en toe een paasei tussen het gras uit, maar heeft andere zorgen aan zijn hoofd.
Wat moet hij met Tilly? Nee, hij is niet verliefd. Maar waarom kriebelt het dan wanneer Illy hem aankijkt. Zoals nu...
Hoe moet het met Maria die ongewenst zijn leven binnendrong en het helemaal overhoop zette? En met zijn opleiding, die hem maandag weer als een blok beton op zijn nek dreigt te vallen? Tim weet het niet, echt niet. Hij weet enkel dat hij er alleen met Kenny over kan praten. Vroeger lukte hem dat met pa ook, maar nu... Maria en Pep zijn de enigen in huis die iets aan pa hebben, bedenkt Tim.

[13] **In de val**

Weken verstrijken. Tim onderneemt enkele halfslachtige pogingen om zijn schoolinzet op te vijzelen, maar het blijft bij nobele bedoelingen. Een tegenvallende toets, een slechte nachtrust, een verkoudheid of een zoveelste fikse aanvaring met Maria, steeds weer duiken er stoorzenders op die zijn goede intenties onderuit halen. De neerwaartse studiespiraal komt ook de sfeer in de Scheldedreef niet ten goede. Tussen hem en Maria heerst in Tims hoofd een staakt-het-vuren met de stabiliteit van het Palestijns-Israëlische conflict. Het kleinste incident kan tot een uitbarsting leiden: ronddwalende sokken, een bot antwoord of een weigering om deel te nemen aan huishoudelijke taken en activiteiten. Het ontbijt en de avondmaaltijden verlopen daarom voor Tim bij voorkeur zonder tekst of uitleg. Zolang hij Maria niet aanspreekt, geeft hij al zeker geen schot voor de boeg.
Zijn gevoelens voor Tilly kan Tim nog steeds niet plaatsen. Hij vindt het niet onprettig om in haar nabijheid te vertoeven, maar of hij verliefd is? Tim weet eigenlijk niet hoe verliefd zijn voelt. Hij heeft het nog niet meegemaakt. Hij is al enkele keren aan een briefje voor Tilly begonnen, maar uiteindelijk durfde hij het haar niet te geven.
Op haar beurt denkt het meisje dat Tim bang is, nog te veel een puber om zijn gevoelens te kunnen uiten. Hij heeft haar tenslotte niet afgewezen, al die keren dat ze hem probeerde

duidelijk te maken wat ze voor hem voelt. Pep zit hen natuurlijk flink in de weg, letterlijk dan, hij is altijd aanwezig op Tims kamer. Tegelijk mag Tilly het ventje wel. Door de informatie die Pep haar zonder het zelf te beseffen verstrekt, weet ze zeker dat Tim alleen is en zich ook alleen voelt. Tilly besluit gewoon het ideale moment voor haar en Tim af te wachten.
Tilly vraagt zich regelmatig af of Tim erg op zijn ma lijkt, zijn echte ma. Van zijn pa heeft hij niet zo veel karaktertrekken geërfd. Of zou die vroeger net als Tim geweest zijn. Tilly kan behoorlijk goed opschieten met Jozef. Hij is meestal goed gehumeurd en heeft een goed gevoel voor humor, maar ze kan zich hem moeilijk even stil en teruggetrokken voorstellen als Tim. Van Jozef begrijpt ze alleen niet dat hij er zo weinig is voor zijn gezin. Natuurlijk, hij heeft een mooie baan, en de promotie waar hij naar streeft is waarschijnlijk erg belangrijk, maar Tim lijdt zichtbaar onder Jozefs vele afwezigheden. Pep ook wel, maar die aanvaardt haar ma meer en meer als zijn ma.

Op een woensdagnamiddag eind mei mag Pep naar het verjaardagsfeestje van een jongetje uit zijn klas. Terwijl Maria hem naar het indoorpretpark brengt, waagt Tilly haar kans. Met een smoes loopt ze Tims kamer in, waarna ze hem meteen omhelst.
'Niet doen, Tilly, niet hier', pruttelt Tim tegen.
'Waar dan wel?'
Tim denkt enkele seconden na. Honderden verschillende opties en ideeën flitsen door zijn hoofd.
'Wel?' Twee zachte meisjeshanden glijden langs zijn lichaam en blijven rusten op zijn heup.
'Het park', stamelt Tim.
'Klinkt beloftevol.' Tilly haakt haar duimen in Tims broek-

band en trekt hem naar zich toe. Tim heeft de kracht niet om haar af te houden. Wil hij dat wel? Tilly gaat op haar tenen staan en kust hem.
'Een voorproefje', fluistert ze. 'Gaan we?'
'Nu?' aarzelt Tim.
'Nee, morgenvroeg. Natuurlijk gaan we nu.'
Tim weet niet wat hij ervan moet denken. Illy maakt het er naar dat hij amper kàn denken.
'Goed dan', mompelt hij.
Tim is met de ogen open in de val getrapt. Nu moet hij met Illy op pad. Naar 'zijn' plekje zelfs. Hoe zou Kenny dit aanpakken?
'Klaar?' onderbreekt het meisje zijn getob.
'Ja', antwoordt hij kort en oneindig veel onzekerder dan hij zou willen.
Op straat loopt Tim flink door. Zo vermindert hij het risico dat iemand uit zijn vriendenkring hen voor een kuierend koppeltje zou aanzien. Illy houdt probleemloos gelijke tred. Het hoge tempo belet haar om dicht tegen hem aan te kruipen of zijn hand vast te pakken. Een nadeel is dat de wandeling er een stuk korter door wordt. Zo blijft er voor Tim bitter weinig tijd over om een passend strijdplan uit te dokteren. Natuurlijk wil hij graag even stoer en sterk zijn als Kenny. Kenny zou nooit zijn gevoelens voor Tilly tonen, maar hij zou er wel van snoepen. Dat ligt echter niet in Tims aard.
'We zijn er.' Door de spanning is Tims mond kurkdroog. Zijn stem klinkt heser dan normaal.
'En nu?' lacht Illy hem hoopvol toe.
'Volg me.' Tim loopt naar de ingang van de doolhof. Hij prijst zich gelukkig dat hij Illy naar deze plek gebracht heeft. Hij kent hier elke bocht, elke struik en elk doodlopend of doorlopend paadje. Als hij deze krankzinnige toestand op

één plek aankan, is het hier. Nergens voelt hij zich zo één met de omgeving.
'Tim, mag ik je hand?'
Zonder op een antwoord te wachten schuift Illy haar rechterhand in de zijne. Tim laat haar begaan. Op enkele kinderen na zijn ze alleen in de doolhof. Tieners zie je hier zelden of nooit. Volwassenen al helemaal niet. Tim worstelt nog steeds met zichzelf. Kan dit? Hoort dit? Wil hij dit wel?
Het vele draaien en keren desoriënteert Illy volledig, maar het meisje staat er geen seconde bij stil. Tim heeft haar meegevraagd én hij houdt haar hand vast. Dit is een unieke gelegenheid om elkaar eindelijk echt te leren kennen. Illy's gevoelens voor Tim zijn sterk, daar twijfelt het meisje niet aan. Maar voor je van liefde kunt spreken, moet je hart de kans krijgen om wat het voelt te toetsen. Om gevoelens te delen als het even kan. Niet dat Illy te klagen heeft over een gebrek aan aandacht. Jongens genoeg die interesse in haar hebben, maar het liefst kiest ze zelf. Dan gaat ze er ook voor. Schoppenaas is niet zomaar haar persoonlijke logo. Ze wikt, weegt en beslist zelf welke troeven ze wanneer uitspeelt.

Tim en Tilly komen in het centrum van de doolhof aan. Tim gaat zitten op het bankje dat tegen de blokhut staat. Hier, niet langer beschut door de bijna twee meter hoge struiken, brandt de zon. Illy gaat niet naast hem zitten, zoals Tim verwacht had. Parmantig zwaait ze een been over hem heen en vlijt haar zachte, kogelronde kontje op zijn schoot. Ze polst zijn gevoelens, maar Tim blijft zo goed als sprakeloos. Hij weet niet wat hij voelt voor haar. Als hij het kon benoemen, blijft er de vraag of hij het daadwerkelijk zou zeggen. Of gezegd zou kunnen krijgen. Verder dan wat onsamenhangend gestamel komt Tim niet.

Illy leest de verwarring in zijn ogen. Ze besluit hem in alle eerlijkheid te vertellen hoe haar gevoelens zich ontwikkelden. Rechttoe, rechtaan is haar opzet, maar dat lukt niet helemaal. Tims wat onwillige blik brengt Illy's sterke zelfvertrouwen geregeld aan het wankelen, zodat ze heel wat gevoelige details inslikt. Het resultaat is een onvolledige, eenzijdige liefdesverklaring die uitmondt in dezelfde vraag: wat voelt Tim? Er komt geen antwoord. Ook geen negatief. Tilly buigt zich voorover en kust Tim. Op zijn voorhoofd, dan op zijn wang. Zacht schuiven haar lippen in de richting van zijn mond.

Als opgejaagd wild loopt Tim door de gangen van de doolhof. Hij wil maar één ding: weg. In zijn ontreddering heeft hij Illy achtergelaten. Ze roept. Tevergeefs. Tim spurt het park uit alsof de duivel hem op de hielen zit. Bang. Van haar? Van zijn gevoelens voor haar? Of lijdt hij aan bindingsangst omdat ma hem van de ene op de andere dag in de steek liet? Tim weet het niet. Hij is als de dood om een relatie te beginnen. Een liefdesrelatie of eender welke emotionele verbintenis. Met Illy, met Maria, of met wie dan ook. Tilly gaat weer zitten. Ze denkt na. Wat bezielt Tim toch? Tilly wil geen uren piekeren. Dat heeft ze nog voor geen enkele kerel gedaan. Tims vlucht is een teleurstelling, inderdaad, maar het is in de eerste plaats *zijn* probleem. Naar huis dan maar. Het valt haar niet mee om de doolhof uit te komen. Ze is hier nooit eerder geweest, kent de juiste paadjes niet en maakt slag om slinger foute keuzes. Op de koop toe betrekt de lucht. Nog voor Tilly de uitgang vindt, maken dikke druppels natte imprints op haar kleding. Wanneer ze een flinke poos later thuiskomt, is ze drijfnat. Niemand moet het voorlopig in zijn hoofd halen om haar aan te spreken over Tim Proot.

[14] **Balen, ballen, balen**

Verslagen leunt Tim tegen de deurpost. Beneden braakt de radio een monotone zomerhit uit. De thermometer die bij de buitentrap hangt, staat op vierentwintig graden. Een helblauwe lucht en non-stop zonneschijn ronden het plaatje van een quasi perfecte middag af. Alleen... het is eind juni. Tim weet dat zijn examens stukken slechter zijn verlopen dan hijzelf of zijn pa ooit hadden durven voorzien. Hij is één bundel zenuwen. Vorig schooljaar haalde hij nog een redelijk resultaat. Dit jaar kleurden zijn rapporten steeds roder. Het zou kunnen dat hij nu zelfs een algemene onvoldoende haalt. Wat een doffe ellende. Een voorbij kruipende spin betaalt het gelag. Verkeerde plaats, verkeerd moment. De tiener weet dat hij er nu niets meer aan kan veranderen. Alle toetsen zijn afgelegd. Het is wachten. Wachten tot de hakbijl valt. Maandag is het zover. De rapportuitreiking. Maar eerst is er nog morgen. Zaterdag 27 juni, Peps achtste verjaardag. Pa heeft de dag speciaal vrij gehouden en liet zijn jongste spruit kiezen hoe die zijn verjaardag wilde doorbrengen. Tim vloekt. Alsof hij nog niet genoeg gedonder aan zijn hoofd heeft, koos Pep ervoor om met de hele familie op stap te gaan. Naar het Atomium, waarover hij op school een project maakte. Boeiend! Een hele dag met Maria, Illy, Pep en pa. En hij *moet* mee, geen ontsnappen aan. Welke tiener doet dat nu nog, zo een dagtripje? Dat is toch alleen leuk voor kleine kinderen zoals Pep?

Zaterdag. De lange autorit is een ware beproeving voor Tim. Met z'n drieën op de achterbank plakt Illy's linkerbil tegen hem aan. Bovendien vraagt ze of Tim met haar naar de kaskraker van de afgelopen lente wil kijken. Nog maar een week legaal uit heeft zij de film al op haar iPod. Tim zou maar wat graag kijken. Zijn favoriete acteur speelt mee en hij is de film domweg misgelopen toen die in de bioscoop draaide. Maar als hij ja zegt, kruipt Illy gegarandeerd nog dichter tegen hem aan. Zegt hij nee, dan heeft hij niets om handen, wat dan weer de kans vergroot dat pa of Maria een gesprek met hem aangaan. Een gesprek dat eind juni slechts één richting uit kan: de proefwerken. De film met Illy dan maar.

Terwijl Pep afwisselend kwettert met pa en Maria, meekijkt naar de actie op het iPodschermpje of in zijn stripboek leest, maakt Tilly Tim subtiel het hof. Lang niet terughoudend genoeg volgens Tim, die het gevoel heeft dat een bronstige bulldozer hem bedelft onder bergen attenties, hoog genoeg om alle vaders en stiefmoeders van de wereld te laten merken hoe verliefd zij wel op hem is. Maria en Jozef hebben nochtans niets in de gaten. Een bewijs dat Tilly wel degelijk subtiel te werk gaat. Het meisje mag dan vastbesloten zijn om Tims liefde voor zich te winnen, ze wil dat doel bereiken zonder als een schoothondje achter hem aan te lopen.

Vader Proot vindt een paar honderd meter voorbij het indrukwekkende monument een schaduwrijke parkeerplaats. Een gelukje op zo een mooie dag. Vol verbazing en verwondering kijken alle gezinsleden naar het meest surrealistische van alle Europese bouwwerken. De miljardenuitvergroting van het atoom schittert negenvoudig tegen het hemelsblauwe decor. Pa vertelt over het wereldexpojaar 1958, waar zijn vader als jongeman bij aanwezig was en vaak

over vertelde. Maria luistert aandachtig, Pep stelt vragen. Tim en Tilly voelen zich minder aangesproken. Wanneer Maria haar arm teder achter Jozefs rug inhaakt, laat Tilly haar rechterhand over Tims rug dartelen. Een verschrikte blik en een ontwapenende glimlach kruisen elkaar.
Na een kort overleg, en met één oog op de lange rij wachtenden, gaat het gezin eerst naar mini-Europa. Het letterlijke en figuurlijke hoogtepunt van de dag komt zo helemaal aan het einde te liggen. Na een uurtje heeft Tim de miniatuurversies van Europa's voornaamste attractiepolen echt wel gezien. Pep daarentegen krijgt er niet genoeg van. Hij heeft een geweldige dag. De eethuisjes en souvenirwinkeltjes die samen 'Oud België' vormen, kunnen al evenzeer op zijn enthousiasme rekenen. Ook Tilly laat zich verleiden door de vele kettingen, kralen, ringen en pins. Pure prullaria in de ogen van Tim. Hij vindt het langdurig rondslenteren in de talloze winkeltjes een verlies van tijd en geld. Mismoedig gaat hij bij pa en Maria op het terras zitten. Zij genieten volop van een wafel met slagroom. Tim hoeft niet dadelijk te vrezen voor lastige vragen over zijn proefwerken.
Aan het eind van de middag ontvangt het Atomium het nieuw samengestelde gezin Proot-Nachtegaele. Pep is zo in de wolken over de 'kinderbal' dat hij bijna letterlijk zweeft. Wat zou hij dolgraag bij de jonge garde horen die hier vanavond mag overnachten. Tilly tuurt door een verrekijker naar de glooiende hellingen, naar de vijvers en fonteinen in het park. Het uitzicht maakt haar romantisch. Voor Tim het sein om zijn heil elders te zoeken. Alweer een bal verder kijken ze naar een korte film over de opbouw en de renovatie van dit schitterende monument. Automatisch roepen de wonderen der techniek vragen op. Hoe begint men aan een dergelijk ongewoon project? Welke problemen rijzen

er, eerst theoretisch en later praktisch? Hoe los je die op? Hoewel Tim niet echt geïnteresseerd is in technische hoogstandjes en in bouwwerken als dit, ontsnapt ook hij niet aan de logische vragen die elke Atomiumbezoeker zich stelt. Pa is aangenaam verrast en voorspelt zijn oudste zoon een succesvolle schoolloopbaan. Wanneer de familie even later in de hoogste bal van een drankje geniet, is Tim nog stiller dan normaal. Jozefs woorden hebben zich vastgezet in zijn hoofd. Als een spookachtige echo keren ze terug, vergezeld van de onvermijdelijke vraag hoe pa zal reageren op het ongetwijfeld desastreuze rapport dat er aankomt.
Nagenietend van de beleefde sensaties gaat de familie weer naar beneden. Tims hoofd tolt. Hoewel de dag in zijn geheel is meegevallen, is er die ene zin van pa die hem spijkerhard met zijn falen confronteert. Tim rilt. De beelden die hij in het Atomium zag, vermengen zich met voorstellingen van wat hem maandag te wachten staat. Waterkeyn, de ingenieur die het Atomium ontwierp, maakte de heropening niet mee. In het beste geval kan Tim zijn rapport achterhouden tot dinsdag. Jarenlang werd het gevierde monument nauwelijks onderhouden. Het beeld van de goede student kan door die dag uitstel vierentwintig uur langer overeind blijven. Waterkeyn overleed kort voor de voltooiing van de renovatie. Tim zou er alles voor geven om zijn rapport niet aan zijn pa te hoeven laten zien.

De tocht naar huis brengt geen soelaas, integendeel. Tim verliest zich in aanhoudend gepieker. De druk in zijn hoofd wordt ondraaglijk. Alles irriteert hem nu. De warmte én de airconditioning. Illy zowel als Pep. Pa én Maria. Wanneer deze laatste een onschuldige opmerking maakt omdat Tim in een onbewaakt moment met zijn lange benen tegen de

achterzijde van haar stoel zit aan te trappen, ontploft hij. 'Laat me met rust! Laat me godverdomme met rust!'
Een poging van Maria om Tim te sussen gooit alleen maar olie op het vuur. Noodgedwongen komt Jozef tussenbeide. De rest van de rit verloopt in een geladen stilte. Pas thuis kunnen de verschillende gezinsleden herademen. Jozef vindt het gedrag van zijn zoon onredelijk, maar tilt niet zwaar aan het voorval. Tim is waarschijnlijk wat moe van zijn proefwerken. Tel daar de warmte bij en een hele dag rondslenteren, dan raken de gemoederen wel eens verhit. Maria is meer verontrust. Zij heeft van Tim de laatste maanden meer gedrag gezien en ondervonden dat niet door de beugel kan. Maar goed, Jozef zal wel beter weten. Hij kent Tim tenslotte al jaren. Tilly zegt niets, maar weet dat Tim slecht in zijn vel zit. Blijkbaar heeft hij het erg moeilijk. Met haar, met haar ma, met school. Pep vindt het hoegenaamd niet leuk dat zijn grote broer na zo een fijne dag de sfeer verpestte. Hij kan het ook niet appreciëren dat Tim met een gezicht als een donderwolk hun kamer binnenstapt en hem toeblaft op zijn helft te blijven.
Aan de andere kant van het gordijn gooit een lange, slungelachtige jongen zich op bed. Hij begraaft zijn gezicht in het hoofdkussen. Tranen vullen zijn ogen. Zijn geest reikt geen oplossingen meer aan.

[15] Het eindrapport

Een schommelwindje ruist door het gebladerte. De struiken die de doolhof vormen, dempen de stadsgeluiden. Op Tim na is er geen mens in de buurt. Hij zit in de blokhut. Naast hem een gedeukt blikje bier en een zakmes, het lemmet anderhalve centimeter diep in het houten bankje geheid. Op de grond ligt een mapje. Eén bladzijde steekt er half uit. Twee rode cijfers vallen op. Een bedrijvige mier probeert zich langs het stapeltje bladen te wurmen.

Op weg naar huis denkt Tim voor de zoveelste keer na over zijn resultaten. Hij hoeft er het rapport niet meer bij te nemen. Nadrukkelijker dan bij de grootste lottowinnaar hebben de cijfers zich in zijn geest gebrand. Vooral die twee. Een onvoldoende voor natuurkunde en een gigantische krater voor wiskunde. Dat laatste cijfer is het ultieme bewijs dat hij niet gewerkt heeft. Op zijn vorige rapport haalde hij voor wiskunde nog een krappe onvoldoende. Nu is het veel erger geworden. Resultaat: Tim mag over, maar moet van richting veranderen. De leerkrachten raden aan om een jaartje overdoen ernstig te overwegen. Een keitje dat Tims pad kruist krijgt een vermoeide trap mee. Wat nu?

Tim staat nog in de gang wanneer Maria hem roept. Geen reactie. Ze verschijnt op de overloop.

'Ah, daar ben je. En, hoe was je rapport?'
Tim kijkt niet op. Het losknopen van zijn schoenveters lijkt zijn uiterste concentratie te vergen.
'En?' dringt Maria aan.
Voor Tim mag ze ter plekke doodvallen. Volgens haar zal hij wel weer van de problemen weggelopen zijn. Ze heeft haar zedenpreek beslist klaar. Geen woord komt over zijn lippen. Geen woord.
'Tim Proot.'
Het klinkt dwingend. Langzaam richt Tim zich op, het hoofd nog altijd naar beneden. Hij steekt zijn slippers aan. Nu moet hij wel opkijken.
Maria staat geen halve meter bij hem vandaan. Haar ogen zoeken contact.
'Je mag veel in dit huis, dat weet je. Maar er zijn ook regels. Als iemand je wat vraagt, heb dan tenminste de beleefdheid om te antwoorden.'
Tim wendt zijn blik af, tot grote ergernis van Maria.
'Ik vraag het je nog één keer. Hoe was je rapport?'
Maria probeert een zo neutraal mogelijke toon aan te slaan, maar bij Tim komen haar woorden over als arrogant en dreigend.
'Waar bemoei jij je mee? Dat zijn toch mijn zaken!'
'Onze zaken, Tim. Van dit gezin hier!'
'Dit gezin?' Tim gnuift verachtelijk. 'Jouw gezin misschien, niet het mijne.'
En met die woorden loopt hij Maria voorbij, de trap op, zonder haar nog een blik te gunnen.
'Tim Proot, dat gaat hier zomaar niet!'
Maria strekt haar arm naar hem uit. Ze kan Tim nog net bij zijn trui pakken.
Wild wringt hij zich los.

'Laat me met rust, mens! Ik ben jou, dit gezin en die school meer dan zat. Wie denk jij wel dat je bent?'
Maria komt een stap dichterbij, maar krijgt niet de tijd om te antwoorden.
'Het liefst zou ik mijn ma gaan zoeken. Mijn échte ma!'
'Dat moet je dan misschien maar doen!' roept Maria vol opgekropte woede terug.
Met een luide klap slaat Tim zijn kamerdeur dicht. Tranen van woede wellen op. Voor Tim is het duidelijk: in deze familie hoort hij niet langer thuis. Zal hij contact zoeken met zijn echte ma? Zij zal hem toch niet de deur wijzen? Het probleem is dat hij niet eens weet waar ze woont. Zelfs pa beweert dat hij er geen idee van heeft waar zijn ex uithangt. Of zou pa dat bewust verzwijgen? Nee, ma zoeken is geen optie. Maar hier blijven evenmin.
Verward en rusteloos belt hij Kenny.
'Hallo?'
Dat valt mee. Tim had niet gedacht zijn vriend te kunnen bereiken. Opgewonden vertelt Tim wat er gebeurd is. Warme tranen vertroebelen zijn zicht wanneer hij uitbraakt hoezeer hij de school en Maria haat.
'Ik wil dit niet meer.' Tim is wanhopig.
'Dan ga je toch gewoon weg.'
'Gewoon. Zomaar…?' vraagt Tim.
'Wil je er echt vanaf zijn?'
'Meer dan je kunt geloven.'
'Waar wacht je dan nog op?'
Tim blijft zonder reactie.
'Ik kan je tips geven. Zeggen wat je moet doen, wat je zeker mee moet nemen.'
'Dat…' Tim slikt de rest van zijn woorden in.
'Durf je niet?'

Opnieuw geen respons.
'Lijkt het je wat om er samen met mij op uit te trekken?'
Het zijn verlossende woorden. Eindelijk ziet Tim een uitweg. 'Ja, ja, direct', stamelt hij.
Blijkbaar wilde Kenny dat horen, want meteen volgen er richtlijnen. Kenny meent het.

Minuten later heerst een naarstige activiteit in Tims kamer. Hij weet dat Pep op het punt staat van school thuis te komen en voert de opgegeven taken in ijltempo uit. Kleding belandt samen met toiletspullen en wat kleinigheden in een rugzak. Daar bindt Tim zijn thermische slaapzak bovenop. Snel krabbelt hij nog een briefje. Ze moeten hem niet komen zoeken. Hij grist nog vlug de envelop mee met het geld dat hij van pa voor Sinterklaas kreeg. Hij heeft het nooit willen gebruiken omdat hij het beschouwde als omkoopgeld. Nu komt het mooi van pas. Hij kan er een nieuwe toekomst mee kopen. Hij heeft natuurlijk ook zijn betaalkaart nog. Dan sluipt Tim zo stil mogelijk het huis uit langs de buitentrap. Kenny heeft hem opgedragen de bus naar het centrum te nemen. Bij de halte ziet hij een groep jonge kereltjes enthousiast het Terlamenplein over spurten. Pep is er ongetwijfeld bij. Tim pinkt een traan weg. Het is nu niet het moment om emotioneel te worden. Daar is de bus.

Op de hoek van de Scheldedreef maakt Tilly zich los uit een vrolijke meisjesbende. Het vriendinnengroepje heeft alle reden om uitgelaten te zijn, want de meisjes zijn zonder uitzondering geslaagd in hun proefwerken. De sleutel zit nog niet volledig in het slot van nummer vijftien wanneer de deur al openzwaait.
'En?'

'Een mooi rapport, ma!'
'Schitterend.' Maria omhelst haar dochter.
'Kijk, kijk!' gilt Pep die een minuutje voor Tilly is aangekomen en opgewonden met zijn rapport zwaait.
'Kijk, kijk!' imiteert Tilly hem, terwijl ze haar resultaten te voorschijn tovert.
'Hoeveel heb jij?' vraagt de snaak nieuwsgierig.
'Vierenzeventig procent, mijnheer Pep.'
De jongste Proot zet een hoge borst op en gooit zijn hoofd naar achteren.
'Ik heb meer. Veel meer. Eenennegentig procent!'
'Baas boven baas', lacht Tilly.
'En kijk eens wat onze allerbeste leerling krijgt.' Maria haalt een prachtige puzzel van het Atomium achter haar rug vandaan. 'Je mag er wel pas na het eten aan beginnen!' De doos gaat op de kast.
'En Tim?' vraagt Tilly.
'Die zit te mokken in zijn kamer. Hij heeft daarnet een scène gemaakt. Geen geweldig rapport, vrees ik, maar hij wil er niet over praten. Laat Tim nu maar met rust. Ik verwacht Jozef vrij vroeg thuis vandaag. Hij mag een keer met zijn oudste zoon praten. Ik ben dat opstandige gedrag van Tim meer dan zat.'
Maria's gezicht spreekt boekdelen. Tilly kan zich iets voorstellen bij de scène die Tim maakte. Als haar moeder het vertikt om hem naar beneden te roepen voor het avondeten, zal het niet mis geweest zijn.
Na het eten stort Pep zich meteen op de puzzel, die met zijn tweehonderd stukjes onweerstaanbaar lonkt. Het heeft Jozef heel wat moeite gekost om het extra cadeautje tijdens hun uitstap ongezien te kopen. Tilly gaat naar haar kamer, maar besluit toch even bij Tim aan te lopen. Ze wil

heel graag weten hoe de proefwerken van haar onwillige geliefde zijn afgelopen. Misschien stort hij tegenover haar zijn hart wel uit.

Twee uur later arriveert vader Proot, scheel van de honger. Het resultaat van een gemiste lunch die door een overvolle vergaderagenda niet kon goedgemaakt worden. Pep is er als de kippen bij om pa zowel zijn fraaie rapport als de meer dan half gelegde puzzel te tonen. Jozef prijst Pep en aait hem over de bol. Maria brengt Jozef zijn avondeten.
'De andere twee zitten op hun kamer', zegt ze. Dan volgt het verhaal van Tims niet goed te praten gedrag. 'Ik vrees dat hij een zeer slecht rapport heeft', besluit Maria haar verhaal.
'Dat kan gebeuren, maar daarom hoeft hij zich toch niet zo extreem te gedragen. Ik praat straks wel even met hem.'
Jozef blaast voldaan. 'Dat was heerlijk. Is er nog ijs toe?'
'Ja, ijs!' likkebaardt Pep.
'Goed dan, snoepers', lacht Maria. 'Tim, Tilly, willen jullie ook ijs?' roept ze, het hoofd in de gang. Er komt geen antwoord.
'Zij worden misschien wat groot voor ijs.'
'Dat zal je mij nooit horen zeggen', glimlacht Jozef.
Na een dubbele portie vanille en mokka, voor Jozef mét het obligate topje slagroom, voor Pep met een koekje, zit de maaltijd erop.
'Ga je mee?' wijst Jozef naar boven.
'Nee. Praat jij maar met hem. Zijn kamer is *zijn* terrein. Als Tim zich wil excuseren, kan hij dat altijd in de woonkamer komen doen.'

Bij het lezen van Tims afscheidsbriefje schemert het Jozef voor de ogen. Even wordt alles zwart. In zijn hoofd speelt

het verlies van zijn echtgenote. De angst slaat hem om het hart. Niet weer. Niet Tim. Met vijf treden tegelijk stormt Jozef de trap af.
'Maria!' Het is een hartenkreet vol pijn.
Jozef kan geen klank meer uitbrengen. Hij stopt Maria de krabbel van Tim in de hand. Haar adem stokt. Een enorm schuldgevoel welt op. Haar laatste uitroep... Maria durft niet te herhalen wat ze Tim naar zijn hoofd geslingerd heeft. Zeker nu niet. Jozef ziet asgrauw. Angstzweet parelt op zijn voorhoofd.
'Kalm, Jozef, bewaar je kalmte', ratelt ze.
Pep, gelokt door het lawaai, komt de woonkamer ingelopen. Door de plotse heftigheid waarmee beneden geroepen en gesproken wordt is ook Tilly gewaarschuwd. Ze stuurt Tim een smsje. Ze meldt dat 'zij' het nu ook weten. Zelf ontdekte ze het een paar uur geleden al. Onmiddellijk stuurde ze een smsje naar Tim. 'Begrijp je wel. Kom vlug terug. Mis je nu al.'

De familie houdt crisisberaad. Jozef vraagt ieder om beurt waar en wanneer ze Tim het laatst gezien hebben, wat hij zei en waar hij heen zou kunnen zijn. Dat levert niets op. Pep begrijpt het hele verhaal niet zo best. Als Tim daarstraks weggelopen is, en nu nog altijd, dan moet hij toch doodmoe zijn van al dat lopen? Maria kan een flauw lachje niet onderdrukken.
De klok wijst bijna negen uur aan. Tim is rond vijven thuisgekomen. Hooguit een kwartiertje later zat hij op zijn kamer. Zou hij meteen vertrokken zijn of heeft hij nog wat tijd in huis doorgebracht? Hoe ver kom je in een uur of vier? In de kledingkast werden de nette stapeltjes door elkaar gegooid. Tim heeft naast kleding ook een rugzak en zijn mobieltje

meegenomen. Langzaam maar zeker dringt de omvang van zijn daad door. De jongen heeft op zijn minst genoeg spullen mee om het een paar dagen uit te zingen. Met zijn betaalkaart kan hij bovendien spaargeld opnemen. Eén voor één bellen de gezinsleden Tim met hun mobieltje. Drie keer wordt een bericht op de voicemail ingesproken.
Vader Proot wil naar de politie stappen om aangifte te doen van Tims verdwijning. Tilly's geweten knaagt. Het was amper zes uur gepasseerd toen zij Tims briefje zag liggen. Twintig minuten geleden heeft ze hem dat tweede smsje gestuurd. Een berichtje dat haar zuur kan opbreken als de flikken zich ermee bemoeien. Zwijgt ze? Of niet? Tilly besluit voor een tussenoplossing te kiezen. Ze vertelt dat Tim één favoriete plek heeft: de doolhof in het park. Jozef reageert meteen. Alvorens officiële hulp in te schakelen zal hij eerst daar gaan kijken. Veiligheidshalve zal hij wel nog even wachten, tot het begint te schemeren. Jozef zou niet graag opgepakt worden wegens inbraak of verstoring van de openbare orde.

Door de koplampen van Maria's Nissan gooit de geruite staaldraadomheining spookachtige schaduwen het park in. Een effect dat nog versterkt wordt door het heen en weer wiebelen van de omheining onder Jozefs gewicht. Hij neemt niet de tijd om aan de binnenzijde af te dalen. Na een sprong van bijna drie meter hoog volgt een droge plof.
'Jozef, wees toch voorzichtig!' fluistert Maria.
'Doof de autolichten nu maar', volgt de respons. 'Ik heb dit...'
De krachtige straal van Jozefs noodlamp schijnt enkele meters voor hem uit.
Het wordt donkerder. De ingang van de doolhof vinden lukt zonder problemen, de weg naar de centrale blokhut

zoeken kost heel wat meer tijd. Temeer omdat Jozef de straal van de lamp net voor zijn voeten richt. Hij wil het risico niet lopen Tim op te schrikken terwijl hij nog meters van hem verwijderd is.
Maria en Illy wachten gespannen bij de ingang van het park en tellen de minuten af. Zelfs Pep is onder de indruk van de toestand. Hij houdt zich heel wat rustiger dan normaal.
Jozef vermoedt dat de bocht die hij nu ziet de laatste is. Hij knipt de lamp uit, geeft zijn ogen even de tijd om te wennen aan de duisternis en loopt dan verder. Het *is* de laatste bocht. Achter een uitwaaierende struik staat hij oog in oog met de blokhut.
'Tim, Tim... Ben je daar?' Jozefs stem verraadt angst en vermoeidheid.
Geen antwoord.
'Tim, ben je daar?' probeert hij opnieuw. Iets krachtiger, iets zelfzekerder.
Weer geen antwoord.
Jozef tuurt door de gebogen ingang. De hut lijkt leeg. Hij knipt zijn lamp aan. Jozefs pupillen vernauwen door het felle licht. Leeg, inderdaad. Het schijnsel van de zaklamp verlicht de centrale paal die het gebouwtje schraagt. Jozefs oog valt op een vrij grote, gekerfde inscriptie: Game Over – T. Jozef wéét gewoon dat die T voor Tim staat. Hij onderzoekt de tientallen in het hout gekraste boodschappen. Geen enkele lijkt zo recent en nergens valt een tweede link naar Tim te bekennen. Game Over – T. Jozef slikt, zwaar en moeizaam.

[16] **Hulp**

Als een geslagen hond staart Jozef voor zich uit. Hij weet het even niet meer. Noodgedwongen neemt Maria het heft in handen. Ze belt Agnes Verdijck op. Maria kent Agnes van de fitnessclub. Ze werkt voor een locaal Jongeren Advies Centrum.[1]

Maria verontschuldigt zich uitgebreid omdat ze nog zo laat op de avond belt. Agnes begrijpt het wel. Al gauw wint ze Maria's vertrouwen. Agnes heeft duidelijk ervaring met de materie. Weglopen om een slecht rapport gebeurt wel vaker, stelt ze Maria en Jozef gerust. Zeker in Tims leeftijdsgroep. In eerste instantie hoeft dat niet verontrustend te zijn. Jongeren die thuis vertrekken, zoeken meestal hulp bij vrienden. Ze overnachten er bijvoorbeeld. Een vertrouwensleerkracht kan misschien ook iets weten, maar over het algemeen moet informatie niet gezocht worden bij volwassenen.

Agnes Verdijck raadt aan contact op te nemen met Tims school om na te gaan welke van zijn vrienden op de hoogte

1 In een JAC kunnen jongeren terecht met vragen en problemen over vrije tijd, vakantie, werk, cursussen, wonen, hun ouders, relaties... Je kunt er altijd binnenstappen, zonder afspraak, en de hulp is gratis. Kunnen de mensen van het JAC je zelf niet helpen, dan zoeken ze samen met jou naar een dienst of een persoon die dat wel kan. In een JAC ben je niet verplicht om je naam te zeggen als je dat liever niet wilt. Je kunt ook telefonisch of schriftelijk (en vaak ook per e-mail) informatie en advies vragen.

zouden kunnen zijn. Op Tims kamer rondneuzen kan ook een aanwijzing opleveren. Resten nog de officiële instanties. De verdwijning van Tim kan aangegeven worden op het politiebureau. Daar wordt een proces-verbaal opgesteld. Aan de hand van die aangifte kan Child Focus een dossier openen. Zij werken nationaal en spelen kort op de bal bij een onrustwekkende verdwijning. Agnes zou hier nog mee wachten tot morgen.
Ook al brengt het gesprek met Agnes Verdijck hen fysiek geen stap dichter bij Tim, het gezin komt er gesterkt uit. Ze weten nu dat de toestand niet buitengewoon uitzonderlijk of superverontrustend is. Op school is op dit uur helaas niemand meer, maar Tims kamer doorzoeken kan wel al. Maria stopt de dodelijk vermoeide Pep in Tilly's bed. Zij moet voor één keer maar in Tims kamer slapen, nadat ze die binnenstebuiten hebben gekeerd.
De zoektocht levert enkele mogelijke aanknopingspunten op. Tim heeft in zijn adresboekje één mobiel nummer rood onderstreept. K staat erbij, geen volledige naam. Tims schoolagenda bevat de weinig prozaïsche toevoeging 'Fuck everybody' naast de aantekening 'rapportuitreiking'. In een hoekje van de kledingkast vinden ze een stukje papier met hetzelfde mobiele nummer. Het nummer van de mysterieuze K. Omdat het intussen na middernacht is, lijkt het Jozef beter K pas in de ochtend te bellen. Best mogelijk dat hij of zij niets weet, al hoopt Jozef uit de grond van zijn hart dat K hen kan helpen. Zou het misschien Tims meisje zijn?
Jozefs weerstand is weggeëbd. Het was een loodzware dag op kantoor. De rest van de avond heeft hem finaal gesloopt. En toch kan hij het niet opbrengen om zijn bed op te zoeken. Uitgeteld zit hij op de bank zijn relatie met Tim te overdenken. Hoe is het zover kunnen komen?

Tilly kan de slaap evenmin vatten. Tims pc, waar ze daarstraks volop in gezocht hebben, blijft de screensaver waarop Tim een doelpunt scoort over het scherm uitrollen. Mechanisch, onophoudelijk. Het is een bevreemdend en tegelijk rustgevend beeld. Zou ze nog eens in zijn computer kijken? Dat lijkt haar onzinnig. Ze hebben de eerste keer niks gevonden en Jozef weet veel af van computers. Het is onwaarschijnlijk dat hij iets over het hoofd zag. Bovendien gaat Tilly ervan uit dat Tim snel terug zal komen. Hij is hier het type niet voor. Het meisje maakt zich meer zorgen over de toekomst. Hoe moet het verder wanneer Tim terug is? Zou ze Daphne een lange mail sturen over deze krankzinnige avond? Misschien heeft haar beste vriendin wel waardevolle ideeën. Of doet ze er beter het zwijgen toe?

Om half acht 's morgens toetst Jozef het telefoonnummer van K in. Er wordt niet opgenomen. Een half uurtje later staat hij in Tims school. De klassenmentor legt al snel de link naar Kenny Budts. Mogelijk staat die 'K' voor zijn naam. Tim trok vorig schooljaar veel met Kenny op. En geen enkele andere vriend van Tim heeft een naam die met 'K' begint. Zelfs geen bijnaam, voor zover de leerkracht daar weet van heeft. Tim trekt meestal op met Seppe en Henk, ook gekend als 'de slome' en 'de Hollander'. Na enig aandringen, er is tenslotte de wet op de privacy, krijgt Jozef het adres van Kenny Budts. Hij belt er minuten later tevergeefs aan.

De aangifte op het politiebureau verloopt verre van aangenaam. Jozef ervaart het als vernederend. Het komt over als een publieke bekentenis. Hij, Jozef Proot, is tekort geschoten in de opvoeding van zijn zoon en mag dat hier uitleggen. Hij overhandigt de agent het papiertje met het mobiele

nummer van K. Wanneer Jozef de naam Kenny Budts laat vallen, krijgt hij meteen reactie.
'Aha! Budtske...'
'Kent u hem?'
'Die kennen we hier zeker, mijnheer. Zijn broer was tot vorig jaar een vaste klant bij ons. Die zit nu in een speciale instelling. En sinds eind vorig jaar loopt ook Kenny geregeld weg.'
'En is hij nu...'
'Voor zover we weten niet. Nog niet. We hebben mevrouw Budts de raad gegeven om voortaan minstens twee dagen te wachten met haar aangifte. Het is onnozel om hem te gaan zoeken als hij de dag erna uit zichzelf terugkomt, nietwaar?'
Jozef staat als aan de grond genageld. Tot goed een uur geleden had hij nog nooit van Kenny Budts gehoord. Nu zit de kans er dik in dat zijn zoon er vandoor is met een recidivist.
'Hallo, mevrouw Budts? Ja, recherche hier. Heeft Kenny vannacht thuis geslapen?'
Een korte stilte.
'Dat dachten we al. Mijnheer Proot staat bij ons. Zijn zoon is gisteren niet thuis gekomen.'
'Van huis weggelopen', komt Jozef ertussen.
'Van huis weggelopen', herhaalt de agent. 'Tim Proot zou een vriend van Kenny zijn.'
Weer blijft het even stil. Tenslotte vraagt de agent mevrouw Budts om Kenny's telefoonnummer. Dan legt hij neer.
'En?' vraagt Jozef met aandrang.
'Het zou heel goed kunnen dat die twee samen op stap zijn, mijnheer Proot. Kenny heeft vannacht niet thuis geslapen. Mevrouw Budts kent uw zoon niet, maar heeft Kenny giste-

ren wel vrij lang met iemand horen bellen kort voor hij van huis vertrok. En het nummer op dit papiertje is wel degelijk dat van Kenny.'

'En nu?'

'Ik stel voor dat we tot morgen wachten voor we iets doen. Maakt u zich niet te veel zorgen. Wij beschouwen Kenny Budts niet als een grote held en voor uw zoon is het de allereerste keer. Die twee komen heus wel terug. Wat denkt u?'

Jozef knikt gelaten. Na het vervullen van de nodige formaliteiten staat hij terug op straat. Aangeslagen. Thuis vertelt hij Maria zijn verhaal. Zij kent Kenny wel, maar kan Jozef weinig meer vertellen. Ze heeft Kenny enkele keren aan de telefoon gehad, heel kort, en hem eigenlijk nooit echt gezien. Hooguit enkele seconden bij de voordeur. Maria stelt voor, al is het louter preventief en informeel, om toch Child Focus even te bellen. Misschien kunnen zij nog een nuttige tip geven.

Na afloop van het gesprek is de ontnuchtering groot. 'Ik ken verdomme mijn eigen zoon niet', vloekt Jozef. Een harde maar juiste conclusie. Welke problemen zijn de oorzaak van het weglopen? Hoe gaat Tim om met zijn vrienden en met Kenny Budts in het bijzonder? Hoe lang kennen die twee elkaar? Waar hangen ze samen zoal uit? Vele vragen waarop Jozef Proot het antwoord niet kent.

De dag kruipt voorbij. Jozef heeft zich ziek gemeld op het werk. Hij stuurt het dossier dat hij vandaag zou afwerken door aan Daems. Voor één keer mag de regionale manager zijn boontjes zelf doppen. Jozef neemt een tranquillizer. Het besef dat de afstand tussen hem en Tim mogelijk onoverbrugbaar groot geworden is, raakt Jozef diep. Urenlang liet hij deze nacht de gebeurtenissen van de afgelopen jaren de

revue passeren. Het plotse vertrek van Nadine, zijn eigen ontreddering en die van Tim en Pep. Hoe ze er moeizaam weer bovenop kwamen. De hulp van Tine en Tony. De komst van Maria. In Jozefs hoofd liep en loopt het parcours duidelijk opwaarts. Een curve die onmogelijk op één lijn te krijgen is met de keuze die Tim gemaakt heeft.
Voor de zoveelste keer bekijkt Jozef de print van Tims rapport die de schooldirecteur hem meegaf. Inderdaad, Tims uitslag is slecht, maar is dat een reden om weg te lopen? Tim kon er met hem, zijn vader, toch over praten? Samen zouden ze er heus wel uitgekomen zijn. Jozef zucht diep. Wat er nog rest van de ochtend verloopt als in een waas, een vage mengeling van droom en realiteit.

Maria komt thuis. Ze heeft de middag vrijgenomen om bij Jozef te kunnen zijn.
Die schrikt op uit zijn gepeins. 'Hoe laat is het?'
'Half één.'
'Rij je mee? Of wil jij eerst iets eten?' vraagt Jozef gespannen.
'Ja, nee.' Normaal zou Maria gelachen hebben om haar eigen tegenstrijdigheid, maar ook haar verwarring en angst zijn groot. 'Ja, ik rij mee. Nee, ik hoef niets.'
Tilly belt even op. Zij moet de laatste schooldag uitzitten. Of er al nieuws is? Nee dus. Maria bedankt haar voor de interesse. Geen van beiden wil lang bellen. Stel dat Tim contact zoekt.

In de auto blijft Jozef tobben. Tot vandaag was hij nog nooit op de Kerkhofweg geweest. Nu rijdt hij voor de tweede keer in een paar uur door deze grauwe wijk. Had hij niet op zijn minst van Kenny's bestaan en van Tims problemen moeten

afweten? Net als vanochtend stopt de auto voor nummer vierenveertig.
Dit keer doet Maria Budts open. Ze ontvangt het bezoek in een afgeleefde huiskamer en biedt hen iets te drinken aan. Jozef en Maria laten de traditionele beleefdheidsformules echter liever achterwege. Dit is geen gezelligheidsbezoek. Zij willen weten wie Kenny is, wat hem bezielt, waar hij zou kunnen zijn, hoelang hij meestal wegblijft, hoe en wanneer hij terugkomt.
De vragenstroom wordt gecounterd met lijzige, gelaten antwoorden. Maria Budts is het punt van de stress en de spanning waar zij onder lijden allang voorbij. Ja, Kenny komt tot nu altijd terug, maar de toestand loopt uit de hand, net als bij Josh. Monotoon weidt de vrouw uit over Josh, over het CLB en het Comité Bijzondere Jeugdzorg. Geen woord over haar ex. Geen woord over Tim. Jozef en Maria wisselen een blik van verstandhouding. Ze weten genoeg. Het koppel dankt Maria Budts voor de ontvangst. Ze wisselen telefoonnummers uit met de belofte dat ze elkaar zullen bellen als de weglopers bij één van beide families weer opduiken. Dan staan ze buiten. Maria Budts blijft terneergeslagen achter. Zwijgend rijden Jozef en Maria naar huis.

De jaarlijkse 30 juni 'uitzwaai' van het atheneum verloopt op het eerste zicht volkomen normaal. Toch praten de leerlingen niet alleen over rapporten en de komende vakantie. Tims vlucht is eerst doorgesijpeld tot bij de jongens en meisjes van zijn klas. Die verspreidden op hun beurt het nieuws bij broers, zussen, kennissen en vrienden in hogere en lagere klassen. Dat is hét uitgelezen tijdstip voor kletskousen om het hoe en waarom te verklaren, en met nadruk te stellen dat zij zoiets nooit zouden doen. Seppe en Henk laten zich niet onbetuigd. Hoe vaak hebben ze Tim niet gezegd dat Kenny niet deugde? Dat het met de Budtsen altijd verkeerd afloopt? En nu dus ook met Tim. 'God straft meteen' haalt Seppe zijn favoriete stopzin nog eens boven.

Late namiddag. De sfeer is bedrukt ten huize Proot-Nachtegaele. Dreigend als voor een naderend onweer. Uit de gesprekken die ze tot nu gevoerd hebben, weten Maria en Jozef dat de uren die nu aanbreken cruciaal zijn. Maria kan het niet opbrengen om een warme maaltijd klaar te maken. Het wordt een broodmaaltijd. Iedereen eet in stilte. Tilly toont begrip voor de gemoedstoestand van Jozef en haar ma, maar Pep begrijpt niet veel van de situatie. Na anderhalve boterham verlaat hij mokkend de keuken. Niemand heeft zelfs maar naar zijn Atomiumpuzzel geïnformeerd. Toch heeft hij die helemaal alleen gemaakt. Tilly volgt niet veel later. Het is niet eens half zeven. Er wachten Jozef en Maria lange, lange uren.

[17] **Running on Empty**

'Wat zal het zijn, Timmy?'
Scherp en afgemeten overstijgt Kenny's stem het geroezemoes. Tim staart voor zich uit. Het spektakel in het immense station is bevreemdend, verwarrend ook. Tientallen sporen dienen zich aan. Mensen lopen kriskras door elkaar. Allen op weg. Naar huis, naar elders of nergens.
'Laten we eerst nog iets drinken', oppert Tim.
Kenny kijkt omhoog. Met zijn linkerwijsvinger volgt hij de aanduidingen op het bord 'Internationale bestemmingen'. Dan kijkt hij op zijn horloge.
'We hebben nog twintig minuten', besluit hij. 'Dat geeft er jou vijftien om de knoop door te hakken.'
Even later zit het tweetal naast elkaar in het schreeuwerige decor van een fastfoodrestaurant. Veel wordt er niet gezegd. De inhoud van de spuuglelijke kartonnen bekertjes wordt met mondjesmaat uitgedronken. Hier, op deze banale plek, zullen ze over hun toekomst beslissen.

Tim denkt na over wat er de afgelopen vierentwintig uur is gebeurd. Het begin was best geestig geweest. Samen met Kenny het avontuur tegemoet. Kenny had meteen de leiding genomen. Tim hoefde maar te volgen. Zijn vriend deed het idee dat ze van huis wegliepen vervagen door de hele expeditie te laten overkomen als de normaalste zaak van

de wereld. Het leek wel alsof hij perfect wist waar ze heen moesten. Ze namen de bus die hen buiten de stad bracht. Kenny wilde niet betalen voor de rit zodat Tim zich de hele tocht ongemakkelijk had gevoeld. Zijn maag kromp samen toen een collega van de chauffeur opstapte. Als die een controle had uitgevoerd, was hun avontuur wel heel snel voorbij geweest. Tim drinkt een slok. Na de busrit legden ze hun geld bij elkaar. Hij had honderd vierenzestig euro, de aanzet van wat binnen een jaar of twee zijn eerste booster moest worden. Kenny bezat dertien euro, dertien! Pas veel later op de avond kwam Tim erachter dat Kenny een briefje van vijftig had achtergehouden. 'Voor noodgevallen. Eerlijk gebietst uit de portefeuille van mijn ma', verklaarde hij zonder blikken of blozen. Als Kenny toen niet dronken was geweest, had Tim het nooit geweten. Kenny toonde zich best tevreden met zijn kapitaaltje, dat hen een heel eind op weg kon helpen. Kenny bewaarde het geld. Hij was tenslotte de man met ervaring.
De 'goede vrienden' bij wie ze de eerste nacht doorbrachten, waren niet bepaald jongelui waar Tim in normale omstandigheden mee zou optrekken. Ze waren allemaal een flink stuk ouder dan Kenny en hij en ze lieten dat ook voelen. Althans, zo kwam het bij hem over. Kenny leek er zich geen moment aan te storen. Net als de anderen gierde hij het uit toen Tim bluftte dat hij een condoom op zak had. Vereecke, een kerel met het bovenlichaam van een bodybuilder en dus hoogstwaarschijnlijk een jongeheer van twee centimeter, spuide vulgaire onzin over meisjes; de anderen haakten al even gortig in. Om de zoveel tijd begonnen ze weer over 'Timmie en zijn ballonnetje'. Geestig. Echt geestig. Opnieuw drinkt Tim een slok. Nog elf minuten.
Van de honderd zevenenzeventig euro die ze bij elkaar had-

den gelegd, bleef na hun drankgelag, de nachtelijke zak friet en de koffiekoeken als ontbijt nog net honderd vijftig euro over. Volgens Kenny meer dan genoeg om 'aan het echte werk te beginnen'. Dit keer meende hij het. Geen sprake van dat hij nog zou terugkeren naar Mie Zeur. Tim kende die bijnaam inmiddels. Hij was zelfs een tikje jaloers dat hij zo geen spotnaam had voor Maria. Kenny was clever, moest hij toegeven. Als je hoorde welke verhalen hij allemaal kon vertellen over Josh, zijn ma en zijn pa: één doffe ellende. Daar konden zijn problemen met pa, Maria en de school niet tegenop. Niettemin vond Tim dat Kenny wel erg bitter klonk. Hij bracht niets, maar dan ook niets goeds naar voren. Zijn thuissituatie was verre van ideaal, akkoord, maar alles afkammen, zonder één positief geluid, dat ging Tim te ver. Zelf had hij ook problemen, en of, maar wanneer hij de afweging maakte, lag er aan de goede kant toch ook heel wat in de schaal. Kenny moffelde zijn fouten en tekortkomingen wat al te vlotjes weg achter het falen van zijn ouders. Het leek alsof zijn moeder en vader niets voor hem deden, niets voor hem betekenden. Dat kon Tim onmogelijk zeggen over zijn familie. Toen Kenny zijn bedoelingen uiteenzette, was Hun Grote Avontuur, met hoofdletters, beginnen verbleken tot een ordinaire weglooppartij van twee veel te jonge kerels. Ergens tussen de plooien van Kenny's rooskleurige toekomstplannen in een zonnig zuiders land was de twijfel binnen geslopen. Zat de arbeidsmarkt ginds te wachten op twee piepjonge minderjarigen zonder diploma? Waarschijnlijk was een weinig interessant en slecht betaald rotbaantje in de bouwsector of in de horeca het hoogst haalbare voor illegalen zoals zij. Waar wonen? Hoe overleven? Zonder hun familie nog ooit terug te zien?
Tim neemt een flinke teug. Toen hij Kenny in alle eerlijkheid

met zijn twijfels confronteerde was een hoogoplopende discussie gevolgd, met daarna meer dan een uur stilte. Toen had Kenny zijn vluchtplan naar een zonnig zuiders land nog eens ontvouwd, in detail. Strak en zakelijk. Te nemen of te laten. Tim had slechts geluisterd.
Nu zitten ze hier, in dit vals vrolijke interieur. Onwillekeurig blikt Tim op zijn horloge. Nog drie minuten. Hij had ermee ingestemd om alvast tot hier mee te rijden. Een wat lege poging tot uitstel. Tim begrijpt dat Kenny en hij hier en nu op een andere manier naar hun situatie kijken. Kenny gelooft echt dat de droom die hij voor ogen heeft binnen handbereik ligt. Dat zij erop uit kunnen trekken om een nieuw leven te beginnen.
'Tim?'
Tim zucht. Hij weet dat alleen het begin van het avontuur Kenny helder voor ogen staat. Hij ziet nu ook in dat ze fundamenteel anders zijn. Kenny aanvaardde hem, leek hem steeds te begrijpen. Veel meer dan zijn andere vrienden, veel meer dan pa. Maar Kenny mijdt elke vorm van verantwoordelijkheid. Zo is het niet moeilijk om in het leven te staan. Tim beseft dat pa's harde werk niet alleen nadelen heeft. Ze kunnen er ook financieel onbekommerd door leven. Pep is een schat van een broer, en Illy Tilly is er ook nog, al weet Tim nog niet zo direct wat hij met haar aanmoet.
Slurpend zuigt Tim het laatste restje cola uit de helrode kartonnen beker. Kenny knikt. Ook zijn drankje is op.
'Time to go.'
Ze gaan opnieuw naar de vertrekhal van het station.
'En?'
'Nee', antwoordt Tim mat. 'Ik kan het niet.'
'Niets aan te doen.' Kenny berust. Het bitse toontje van daarstraks is weggeëbd.

Hij loopt naar de loketten. Tim volgt.
Nadat hij een kaartje heeft gekocht, blijft er nog bijna tachtig euro over.
'Waar ga jij heen?' vraagt Kenny.
Tim haalt de schouders op.
'Binnenlandse verbindingen zijn nooit duurder dan een euro of twintig, schat ik.'
Kenny stopt hem een blauw briefje toe. De rest verdwijnt weer in zijn portefeuille. Heel even denkt Tim eraan om te protesteren, maar hij besluit het niet te doen. Hij gunt Kenny een nieuwe start, met zijn geld. Tim kiest voor thuis, dat is hem veel meer waard dan enkele tientallen euro's.
'Spoor negen', leest Kenny op het bord 'Internationale Bestemmingen'. Vastberaden loopt hij ernaartoe. Tim gaat mee. Het minste wat hij kan doen, is Kenny uitzwaaien.
'Succes daar.' Tot Tims ergernis trilt zijn stem licht. 'Waar je ook terecht mag komen!'
'En stuur een kaartje, zeker?' spot Kenny.
'Ciao, Kenny!'
'Ajuus, Proot, slappeling!' lacht Kenny Budts en als afscheid geeft hij Tim een fikse tik op zijn schouder. Dan wordt hij opgeslokt door de duistere coupé.
'Ajuus', mompelt Tim half lachend. 'Wat een woord. Typisch Kenny om zoiets te gebruiken.'
Traag zet de internationale trein aan. Op het perron van spoor negen staart een puber met warrige haardos het voertuig na tot het in een slappe bocht verdwijnt. De handen diep in de zakken van zijn spijkerbroek keert de jongen zich om, het hoofd gebogen. Langzaam slentert hij het perron af. Waarom lijkt deze drukke hal nu zo leeg?

[18] Illy

Verzenden **Dinsdag 30/06, 21:44**

Blij dat je me na een dag en een n8 twijfelen het hele verhaal uit de doeken hebt gedaan, jij se! Ik zou flink en geweest zijn moest je er mee gezeten hebben zonder je beste vriendin erin te kennen! Nu, ik ben t met je eens dat je niet meteen een potje moet gaan . Tim komt vast wel terug. Hij zou wel heel zijn als hij dat niet zou doen! Wijze raad heb ik niet meteen, maar dat had je waarschijnlijk ook niet verwacht van iemand die 6% minder haalde dan jij

Take care & tot morgen!
Daph

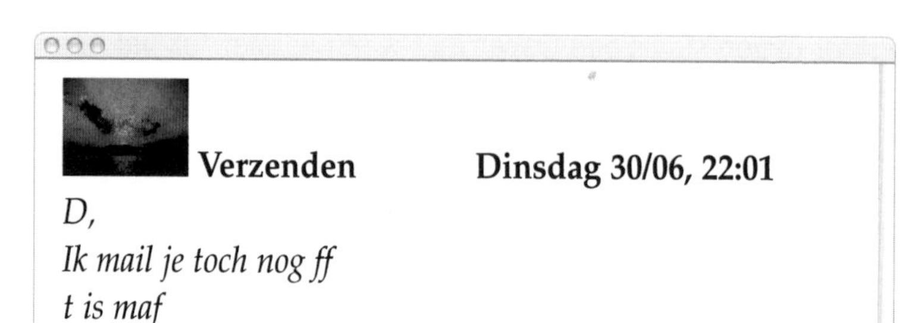

Verzenden **Dinsdag 30/06, 22:01**

D,
Ik mail je toch nog ff
t is maf

Er hangt een heel rare sfeer in huis
Sinds ik alles eruit gooide in die mail aan jou, heb ik het sterke gevoel dat Tim terug is
Dat wil zeggen: in de buurt
Ik voel het gewoon!
Je zult nu wel zeggen da ik gestoord ben
Maar toch…

Greetz,
Illy ♠

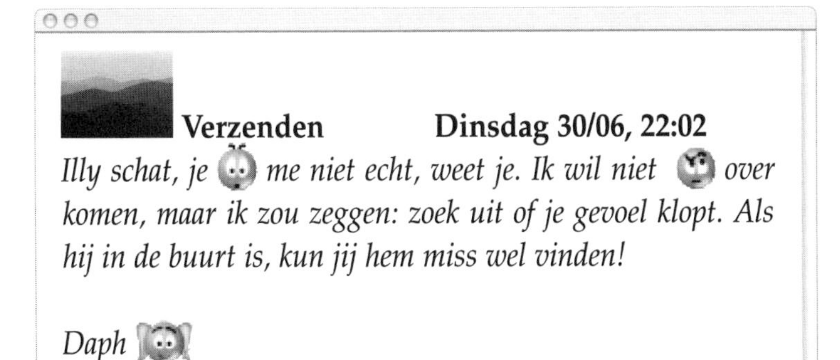

Verzenden **Dinsdag 30/06, 22:02**

Illy schat, je me niet echt, weet je. Ik wil niet over komen, maar ik zou zeggen: zoek uit of je gevoel klopt. Als hij in de buurt is, kun jij hem miss wel vinden!

Daph

Verzenden **Dinsdag 30/06, 22:02**

OK, D, doe ik
Ik ga er achteraan

CU 2morrow,
Illy ♠

Tilly sluit haar computer af. Heel even aarzelt ze, maar dan gaat ze zelfverzekerd naar beneden. Jozef en haar ma zitten in de huiskamer. Het is er stil. Geen tv, geen radio. Op de salontafel dampt een koffiemok. Jozefs mobieltje ligt ernaast. De oplichtende display verraadt dat het toestelletje nog geen dertig seconden geleden werd gecheckt. Voor de zoveelste keer.

'Dag, schat', begroet Maria haar dochter.

'Hallo', probeert ook Jozef aangenamer te klinken dan hij zich voelt.

'Ma, Jozef', begint Tilly aarzelend. 'Het klinkt waarschijnlijk krankzinnig, maar sinds een kwartiertje heb ik het gevoel dat Tim in de buurt is.'

Jozef en Maria kijken Tilly ongelovig aan.

'Kunnen we niet op zoek gaan? Alles is beter dan hier te blijven zitten en nietsdoen.'

'Waar zou je willen zoeken?' Jozef klinkt niet echt overtuigd.

'Op alle plaatsen waar Tim kan uithangen en waar hij mogelijk overnacht heeft. Zoveel zijn er dat niet: de doolhof, heel misschien de jeugdclub, als die open is.'

'De jeugdclub? Tim mag nog niet naar de jeugdclub', reageert Jozef.

'Dat doet er nu niet toe, Jozef. Tilly probeert alleen maar te helpen', zalft Maria. 'We kunnen er een kijkje nemen. Denk aan wat Maria Budts zei: vaak slapen ze bij het station, omdat het daar warm en beschut is. Daar kunnen we ook langs als je wilt.'

'Jullie hebben gelijk,' geeft Jozef toe, 'alles is beter dan hier eindeloos te blijven wachten. Morgenochtend lijkt nog honderd jaar weg.' Jozef komt overeind.

'Pep slaapt al, dus één van ons drieën moet thuis blijven', analyseert Maria. 'Ook voor het geval Tim thuiskomt.'

'Blijf jij hier?' vraagt Jozef die zo vlug mogelijk wil vertrekken.
'Geen probleem, schat. Ik zal de wacht houden. Gaan jullie maar.'

De logica gebiedt dat Jozef en Illy eerst naar het park rijden. Wanneer ze daar aankomen, is het zo goed als donker. Jozef besluit om weer over de omheining te klimmen. Illy wacht in de auto. Zachte muziek pruttelt uit de autoradio. Het wachten duurt lang.
Verwoed krabt Jozef aan een zoveelste muggenbeet. Die vervloekte beesten! Gelukkig schiet Jozef sneller op dan gisteren. Het doet hem denken aan zijn diensttijd. Toen werd hij ook steeds beter in die nachtelijke oefeningen. Daar is de schaduw van de blokhut al. Nog één rij heen en weer. De lamp mag uit. Terwijl zijn pupillen zich aanpassen, neemt Jozef de bocht naar de laatste rechte lijn. Daar is de allerlaatste struik. Bij gebrek aan wind maakt zelfs die geen geluid. Dan staat Jozef voor de tweede dag op rij bij het favoriete plekje van zijn zoon. Zonder tijd te verliezen gaat hij op de ingang af, kijkt de blokhut in, en...
'Tim!'
Jozef stormt op zijn totaal verraste zoon af.
'Tim, goddank, Tim!' omhelst hij hem. 'Jongen toch, wat ben ik blij je te zien!'
Angstig en onzeker zoeken Tims ogen die van zijn vader.
'Ik ben zo blij, zo blij!' blijft die maar herhalen. Hij snikt.
Opgelucht herademt Tim. Het drankje in het station en de treinrit naar huis liggen al meer dan vijf uur achter hem. Tim wist niet meer wat hij moest doen, geloofde niet dat thuis nog iemand op hem zat te wachten na wat er gebeurd was. Met Maria, dat klote rapport, zijn afscheidsbrief, de tocht met Kenny. Hij was bang, leeg en hongerig. Nu slikt

Tim zijn emoties weg. Beweren dat hijzelf maar half zo blij is als pa, zou de waarheid geweld aandoen.

Zodra Jozef een beetje van de eerste schok bekomen is, gaat hij naast zijn zoon zitten. De binnenvallende maan verlicht Tims gekerfde inscriptie flauwtjes. Zoekend naar de juiste woorden, probeert Jozef een gesprek op gang te brengen. Tim reageert terughoudend. Ze hebben al zolang niet echt meer met elkaar gesproken. Het vertrouwen dat nodig is om tot een goed gesprek te komen, moet eerst weer opgebouwd worden. Jozef lijkt dat te beseffen. Hij komt niet meteen terzake, maar schetst eerst een verhaal uit zijn jeugdjaren. Een grote teleurstelling op school, toevallig ook voor wiskunde, maakte dat de jonge Jozef ernstig twijfelde. Hij wist niet meer of hij door moest leren of niet.

'Wat zou er gebeurd zijn als ik toen mijn hart had gevolgd en niet mijn verstand?' zucht Jozef. 'Misschien had ik een nog beter leven geleid, mogelijk een slechter. In elk geval was het anders gelopen.' Hij kijkt zijn zoon recht in de ogen. 'Dat weet je natuurlijk nooit. Wat ik wél weet,' zegt hij met nadruk, 'is dat je met de keuzes die je maakt het leven door moet. Voor altijd.'

Het blijft even stil. Tim begrijpt dat ook hij zijn gezond verstand voorrang heeft gegeven op zijn hart. Al lokte het avontuur. Jarenlang had hij een uitstekende relatie met zijn pa. En met Pep. Na amper vierentwintig uur miste hij zijn broertje al. Het kostte de jongen uiteindelijk niet zoveel moeite om het onrealistische karakter van zijn vlucht in te zien. Tegelijk wil Tim dit ogenblik en dit gesprek aangrijpen om zijn vader te confronteren met zijn problemen. Daarvoor is het nu of nooit. Moeizaam, met woorden die diep in zijn ziel snijden, zoekt Tim de juiste formulering. Meer dan eens wendt hij zijn blik

af. Gelukkig geeft zijn pa hem de nodige tijd en ruimte. Met horten en stoten vertelt Tim hoe zwaar het vertrek van zijn ma bij momenten nog altijd weegt. Zeker sinds Maria er is. Het voelt aan alsof hij voortdurend op voet van oorlog leeft met zijn 'nieuwe ma'. Jozef is verbaasd, maar veroordeelt Tim niet. Tim kan het gedurende een half jaar gegroeide wantrouwen niet meteen uitvlakken. Verschillende keren houdt hij in, om daarna een voorval waar hij over begonnen is dan toch maar te beschrijven. Pas helemaal aan het einde durft Tim de eeuwige afwezigheid van zijn pa aan te stippen, en hoezeer hij die haat. Zijn openhartigheid bezorgt hem een vreemde mengeling aan gevoelens: durf, opluchting, angst en leegte maken zo goed als tegelijk hun opwachting. Dan zwijgt Tim. Lang. Hij is eruit. Alleen de versierpogingen van Tilly heeft hij onbesproken gelaten.
Jozef is stil. Tims uiteenzetting geeft meer dan een beetje stof tot nadenken. Hij realiseert zich nu dat het slechte rapport niet meer was dan de finale druppel. De eigenlijke oorzaken zitten heel wat dieper. Die zullen meer energie, geduld en tijd vergen van hem én van Maria. Jozef kijkt zijn oudste zoon aan. Tim ziet er moe uit. Doodmoe. Zelf voelt Jozef op dit ogenblik de vermoeidheid niet. De vertwijfeling en de angsten die hem in de ban hielden, hebben plaats gemaakt voor openheid. Hij wil een nieuwe weg vinden, een nieuwe manier om met Tim te communiceren. Langzaam maar heel bewust hervat Jozef hun conversatie. Zijn ogen zoeken die van Tim en laten ze niet los. De kern van zijn boodschap is eenvoudig: ze zullen samen naar oplossingen zoeken. Hij zal meer tijd vrijmaken voor zijn familie, en thuis moeten ze leren om met elkaar te praten. Niet alleen over koetjes en kalfjes, maar ook over hun gevoelens en over hun problemen. Tim stemt daar na enig aarzelen mee in.

'Mijn huwelijk met je ma is mislukt. Dat deed pijn. Veel pijn. Ik wilde dat het dit keer beter zou gaan. Maria leeft met hetzelfde gevoel. Ook zij heeft er een mislukt huwelijk opzitten. Misschien spande zij zich wel te hard in thuis, terwijl ik me te veel inzette op het werk. We willen allebei zo graag dat het lukt. Tussen Pep en Maria, tussen Tilly en jou, tussen jou en Maria...'
Jozef zwijgt. Hij kijkt Tim aan. Die glimlacht. Even blijven ze zo zitten, in stilte. Er hoeft niets meer gezegd te worden.
'Kom, we gaan.' Jozef staat op en helpt Tim overeind.
De twee verlaten de blokhut en lossen op in de duisternis tussen de struiken. Tim vraagt zijn pa hoe hij ertoe gekomen is om hem in de doolhof te zoeken.
'Tilly zette me op je spoor.'
'Illy?' Tim kijkt zijn pa vragend aan.
Die kan de verbaasde uitdrukking op het gezicht van zijn zoon niet zien. Wel registreert hij de geïnteresseerde teneur van Tims reactie.
'Je mag dan problemen hebben met haar ma, Tilly, of Illy zoals jij haar noemt, ligt je heel wat beter, of zie ik dat verkeerd?' Vaderlijk legt Jozef een arm om Tim heen.
'Nu, als ik zo oud was als jij, ik zou het ook wel weten.'
Tim kan een gniffel niet onderdrukken. Ondanks de kilte van de avond wordt die beantwoord met een diepe, warme glimlach.
'Wees maar gerust, we krijgen de trein wel weer op de rails!' besluit Jozef, terwijl hij zijn zoon wat dichter tegen zich aantrekt. Samen één leggen ze het laatste stuk af. Het voelt warm en goed aan. Dan duikt Kenny op in Tims gedachten. Het enige wat Kenny's vader ooit omarmde was de fles, vertelde zijn vriend wel eens. Waar zou Kenny nu uithangen? Hoe brengt hij het er vanaf? Zit zijn trein op het juiste

spoor? Veel tijd om daarover na te denken krijgt Tim Proot niet. Ze naderen de uitgang.

Tilly schrikt gek genoeg nauwelijks wanneer ze Jozef en Tim uit de duisternis ziet opdoemen. Iets in haar had dit verwacht. Nog geen minuut later omhelst ze Tim. Die ervaart de hernieuwde kennismaking met haar armen en lippen als een aangenaam tintelende golf die hem totaal overspoelt. Zelfs Illy's parfum bevalt hem. Of is hij alleen maar onredelijk blij dat hij Illy terugziet?
Ze rijden naar huis. Niemand praat. Woorden lijken overbodig. Tim is rustig, tevreden met de steun van zijn pa en de wetenschap dat die hem vond dankzij Illy. Voor het eerst sinds alles eind vorig jaar zo drastisch veranderde, gelooft hij dat samenleven in dit nieuwe gezin ook voor hem kan lukken. Bij een stoplicht overvalt een intens gele neonreclame niet alleen de stoep maar ook de achterbank. Illy's ravenzwarte haren glinsteren. Ze lijkt oprecht gelukkig. De jongen naast haar knikkebolt van vermoeidheid. Zijn ogen vallen toe. Om zijn lippen speelt een gelukzalige, ietwat dwaze glimlach.

[19] **Feest (met een rauw randje)**

Het is na middernacht wanneer Jozef zijn auto op de Scheldedreef parkeert. Een opkomende adrenalinestoot voert Tim weer naar de realiteit. Nog een paar seconden. Dan moet hij Maria weer onder ogen komen. Gelukkig neemt zijn pa het initiatief. Jozef is zo opgelucht dat hij nu, op eigen grondgebied, ongeremd uiting geeft aan zijn immense vreugde. Jozef omhelst Tim, Tilly en Maria. Ze doen nog net geen rondedans.
'Champagne, Maria, champagne voor iedereen!'
Tim prijst zich gelukkig dat er geen verplichte lijfelijke verbroedering met Maria komt.
'We hebben je gemist, Tim, we waren zo ongerust!' zegt ze wel. Tim merkt de sporen van stress. Maria is lijkbleek. Net als hijzelf virtueel knock-out gemept door de beleefde emoties. Ze komt gelukkig niet terug op wat gebeurd is. Evenmin tracht ze de hereniging te forceren. Opluchting overheerst.

De fles champagne knalt. Even later nippen Tim en Illy van de sprankelende bubbels. Het doet Tim aan Nieuwjaar denken. In ieder geval voelt hij zich nu meer op zijn gemak dan toen. Komt het door pa die tatert alsof hij een eeuwigheid in te halen heeft? Misschien is dat ook wel zo. Nu de inwendige spanning wegebt, duikt de vermoeidheid weer op.

Jozef vertelt hoe hij zich een weg baande door de doolhof op zoek naar de blokhut, op zoek naar zijn zoon. Net voor hij aan de inhoud van hun gesprek wil beginnen, breekt Tim het verhaal af.
'Pa, Illy,... Maria, ik ga naar mijn kamer.'
Tim zet zijn glas neer en vertrekt. Jozef staart hem niet begrijpend na.
'Waar wachten jullie op? Ga achter Tim aan. Praat met hem en vooral, luister naar hem.'
Onvoorstelbaar hoe dom ouders kunnen zijn, bedenkt Illy. Hebben ze nu nog niet begrepen dat ze in Tims leefwereld moeten doordringen als ze echt met hem willen praten?
'Ik heb beloofd om Agnes Verdijck te bellen wanneer Tim terecht was', komt Maria op haar stappen terug.
'Doe dat straks maar. Eerst Tim. Ik zal alvast de politie en Child Focus bellen.' Tilly duwt Maria de deur uit, Jozef achterna.

Het ontbijt verloopt feestelijk maar ook slaperig. Zelfs Pep is minder levendig dan normaal. Het urenlange gepraat dat deze nacht in zijn kamer zoemde, hield hem uit zijn diepste slaap. Tim ziet eruit alsof hij een stevig nachtje stappen achter de rug heeft. Hetzelfde geldt voor Jozef en Maria. Het is dan ook de dochter des huizes die de honneurs waarneemt. Tilly heeft de tafel gedekt, koffie gezet – zwarter en sterker dan ooit – en eitjes gekookt, Tims favoriete ontbijt. Het levert haar een luie knipoog op. Zwierig opent ze een raam. Het frisse briesje doet deugd. Pep, gerustgesteld dat zijn broer gedaan heeft met lopen, laat trots zijn gelegde Atomiumpuzzel zien aan iedereen. Wanneer hij even later van tafel opstaat om naar het toilet te gaan, zegt Tim droogweg: 'Hopelijk laat Pep me zijn rapport niet zien, want daar

kan ik echt niet tegenop.' Het is zijn eerste grapje, goed voor een algemene glimlach.
'Eigenlijk is mijn vierenzeventig procent evenveel waard als jouw cijfer,' knipoogt Tilly, 'want ik kom er ook maar één jaar mee vooruit!'
Tim voelt zich goed. Tijdens het lange gesprek vannacht werd zijn schoolprobleem al meteen opgelost. Tim zal volgend jaar naar de sportafdeling gaan.[1] Hij hoeft het jaar dan ook niet over te doen. Met smaak verorbert hij een tweede eitje, gevolgd door een pistolet met een dikke laag jam. Pep wordt met de minuut drukker. Maar het geeft niet. Dit is thuis, weet Tim, en het begin van een nieuwe start. Pa zal meer tijd vrijmaken, hoe moeilijk dat met zijn drukke baan ook is. Tim waardeert het dat Maria probeert om begrip op te brengen. Hij heeft haar duidelijk gemaakt dat ma ma is, en Maria Maria. De wil om er het beste van te maken is groot.

Dag één van de grote vakantie kon moeilijk beter verlopen ten huize Proot-Nachtegaele. De sfeer is er in tijden niet zo goed geweest. Tim en Illy liggen naast elkaar in de tuin en lezen een boek. Pa Proot moest er noodgedwongen vandoor. Daems zat na één dagje wroeten op een dossier al aardig in de knoei. Maria doet wat huishoudelijk werk.
'Bedankt' fluistert Tim in Tilly's oor.
'Bedankt waarvoor?'
'Dat je niet aan pa of Maria verteld hebt dat ik er vandoor was.'
'Ik wou je keuze respecteren.'

---

1 In Vlaanderen bestaat de afdeling Lichamelijke Opvoeding en Sport. Deze technische richting geef naast een algemene vorming ook een sportieve opleiding.

Er valt een stilte. Nu ja, stilte. Pep crosst joelend voorbij op zijn fiets.
'Jij ook bedankt.'
Tim kijkt Tilly vragend aan.
'Je hebt ma niets gezegd over het smsje dat ik je stuurde.'
'Miste je me echt?'
Tilly knikt overtuigend. Ze kijkt Tim diep in zijn mooie kijkers en ziet niet hoe hij een glas water pakt. Tim giet de inhoud over haar uit. Het sein voor een watergevecht en veel gegiechel!
Wanneer Tim droge kleren gaat aantrekken, schuift er een donkere wolk voor zijn geluk. Kenny. Hoe zou het hem vergaan? Kenny proberen te bereiken heeft geen zin. Tim was er zelf bij toen Kenny zijn oude mobieltje weggooide. Aan de telefoon heeft hij gisteren niet veel aan de politie verteld. Ze hebben hem ook niet veel vragen gesteld. De agenten wilden hem eerst rustig laten bekomen van de doorstane emoties. Straks wordt hij echter op het politiebureau verwacht. Wat moet hij dan zeggen? Wat zullen ze hem dit keer vragen? Feit is dat Kenny straks meer dan achtenveertig uur van huis is. De bevoegde instanties vergroten dan hun inspanningen. Tims verklaring moet hen daarbij helpen.

[20] **Kenny**

'Ik zeg het u voor de zoveelste keer: meer weet ik niet!' Tim Proot loopt rood aan. Zijn vader tracht tevergeefs om hem tot bedaren te brengen.

'Ik heb er genoeg van, pa. Zijn ze zo stom, of doen ze zo stom? Ik heb hen alles gezegd wat ik weet en alles verteld wat Kenny en ik samen gedaan hebben. Meer wist ik niet en weet ik niet. En zeker niet wanneer ze het mij keer op keer laten herhalen.' Tim staat bruusk op en stoot daarbij zijn stoel omver.

'Rustig, jongen, rustig', sust Jozef.

Tim maakt een wegwerpgebaar. Dan gaat hij toch weer zitten.

De woede-uitbarsting van de minderjarige slaat de rechercheur niet uit zijn lood. Evenmin laat hij zich erdoor provoceren. De man is ervaren in dit soort dossiers en kon al heel wat weggelopen jongeren opsporen. Hij weet dat Tims verklaringen balanceren tussen de waarheid en de waarde van zijn vriendschap. De dunne scheidingslijn tussen vertellen wat je weet en vertellen wat je mag vertellen, zonder je beste vriend te verlinken. De man blijft het onwaarschijnlijk vinden dat Tim niet weet waarheen Kenny vertrokken is. Ze zouden samen op avontuur gaan, stonden samen op het perron, liepen samen naar het spoor waar Kenny instapte, en toch beweert Tim geen bestemming of spoornummer te kennen.

'Tim, we willen geen druk op je uitoefenen,' zalft de brigadier, 'we zijn er ons van bewust dat dit niet makkelijk is voor je. Tegelijk moet je ons standpunt begrijpen. Jij bent de enige die kan weten waar Kenny uithangt of waar hij naartoe wou gaan. We hebben geen enkel spoor van hem. Iedereen is doodongerust: zijn moeder, zijn broer, zijn vader. Je zou die mensen eens moeten zien als ze om inlichtingen komen vragen.'

Terwijl de rechercheur praat, waaiert Tims geest uit over die ene zin. 'Zijn moeder, zijn broer, zijn vader.' Kenny's moeder, tot daar aan toe. Tim kan zich perfect inbeelden dat het arme mensje zich oprecht zorgen maakt over haar jongste zoon. Hij heeft Maria Budts slechts enkele malen gezien en toen leek ze hem niet die onuitstaanbare zeur te zijn waar Kenny haar steevast voor versleet. Ze gaf hem een erg kwetsbare indruk. Josh? Hoewel Kenny hem steeds verheerlijkte en zijn buitensporige gedrag vergoelijkte, kan Tim niet om de conclusie heen dat Josh zware fouten heeft gemaakt en terecht in een MPI werd geplaatst. Josh is een typische 'einzelgänger'. Iemand die koppig zijn eigen wil doordrijft en met niets of niemand rekening houdt. Ook niet met Kenny. Die is in zijn ogen allicht niet meer dan een naloper. Over Kenny's pa hoeft Tim niet lang na te denken. Elke seconde denkwerk die je aan zo iemand besteedt, is een seconde te veel. Als pa hem ooit slaat, dronken of niet, loopt hij meteen weer weg. Voorgoed. Om zijn pa te ontlopen hoefde Kenny niet naar het buitenland. Hij hoorde of zag hem nooit. Kenny liep weg van zijn moeder, van school en van elke vorm van verantwoordelijkheid.

'Begrijp je?' onderbreekt de brigadier zijn gedachtegang. Tim knikt. Met een half oor heeft hij opgevangen dat Kenny's verdwijning nationaal bekendgemaakt zal worden.

Child Focus zal voor een opsporingsbericht zorgen op radio, televisie en via affiches.
'Dus, jongen, als je ons nog iets belangrijks kunt vertellen, doe het dan nu. Dat laat ons toe die informatie mee te nemen in alle bulletins.'
Tim kijkt de man voor zich strak aan. Meer dan ooit is zijn geest bij Kenny. Tim kan zijn vriend heel wat verwijten. Zijn gebrek aan inzet, zijn negativisme, zijn kortzichtigheid. Alsof de vlucht naar een land waar je niets of niemand kent concrete oplossingen kan aanreiken voor je problemen hier. Tegelijk blijft een klein deeltje van zijn overtuiging pal achter Kenny's keuze staan. Anders was hij toch nooit meegegaan? Alleen heeft Kenny ervoor gekozen om weg te blijven. Blijkbaar heeft Kenny voor zichzelf uitgemaakt dat de relatie met zijn ma, met Josh en met zijn pa, de mensen die hem volgens de agent zo verschrikkelijk hard missen, dood en begraven is.
'Wel?' vraagt de brigadier. Zijn beide handen spelen met de losse bladzijden bovenop het dossier 'Budts'. Mijn verklaring, weet Tim.
'Als je iets weet, zeg het dan, Tim', fluistert zijn pa hem toe. 'Doe het voor de moeder van die jongen en voor hemzelf.'
Een enerverend zoemende vlieg landt op Tims onderarm. Beheerst verjaagt hij het diertje. Dan staat hij op zonder nog iets te zeggen. Vader en zoon verlaten het politiebureau.

'Zo dadelijk het journaal, waarna wij meteen overschakelen naar Kazachstan, waar onze nationale kampioen debuteert in de eerste voorronde van de Champions League. Maar eerst vragen wij graag nog uw aandacht voor dit opsporingsbericht.'
Een al wat oudere, wazige foto van Kenny duikt op naast

het logo van de politie. Daaronder verschijnt het nummer 110, samen met dat van de regionale sectie.
'Op maandag 29 juni omstreeks 17 uur 15 verliet de vijftienjarige Kenny Budts de ouderlijke woning...'

Een woordje over Tim Proots grote passie – Doolhoven

Doolhoven ontstonden in de zestiende eeuw. De strakke vormen van de beplanting in deze doolhoven waren toen meer om naar te kijken dan om er in rond te dolen. In de zeventiende eeuw introduceerden vele Europese edellieden een doolhof in hun tuinen als bron van vermaak. Niet alleen om er in rond te dwalen, er vonden ook romantische ontmoetingen plaats. In de achttiende eeuw raakten de doolhoven uit de mode. Pas op het einde van de negentiende eeuw ontstond er weer nieuwe belangstelling. Vooral in tuinen bij landhuizen en kastelen werden toen nieuwe doolhoven aangeplant. Na de Tweede Wereldoorlog verwaterde de belangstelling opnieuw. Vele doolhoven overwoekerden of maakten plaats voor andere attracties of pretparken.
Vandaag de dag lijken doolhoven misschien niet zó bekend of populair, maar toch oefenen ze op heel wat mensen nog altijd een zeer grote aantrekkingskracht uit. Eén van de meest beroemde doolhoven is beslist die van Hampton Court, Engeland, waar jaarlijks maar liefst 300 000 bezoekers hun weg komen zoeken naar het centrale punt. Natuurlijk bestaan de in dit boek aangehaalde 'Saffron Walden Mazes' eveneens, zowel de historische 'Turf Maze on the Common' als zijn in 1986 aangelegde opvolger. Je kunt ze nog steeds bezoeken in Uttlesford, een pittoresk Brits dorpje ergens halverwege tussen Londen en Cambridge. Op de volgende pagina tref je een weergave aan van de originele, bijna tweehonderd vijftig jaar oude ontwerpschets van de eerste doolhof daar én een moderne tekening van de huidige doolhof. Wil je er net als Tim een keer op bezoek gaan,

neem dan eerst even contact op met het Tourist Information Centre. (1, Market Place, Saffron Walden, Essex CB10 1HR, United Kingdom – www.uttlesford.gov.uk)

In onze contreien kom je minder doolhoven tegen, al vind je er ook hier enkele zeer leuke. Een aanrader is bijvoorbeeld de doolhof van Loppem. Vijfenzestig bij vijfentwintig meter en hagen ter hoogte van één meter zeventig. Hoewel het geen uitzonderlijke grote doolhof is met niet eens bijzonder hoge hagen kost het de onervaren doolhof-bezoeker al gauw twintig tot dertig minuten om tot in de kern door te dringen. Nog meer Belgische doolhoven kan je aantreffen in de tuinen van Annevoie, aan Château Freijer en bij herberg 'Het Labyrint' te Kemmel.
In Nederland bestaat er zelfs een doolhofpark, Dudelle te Bakkeveen. In Amsterdam telt het Amstelpark twee doolhoven, bestaande uit hagen van ongeveer één meter breed en twee meter hoog.
Voor nog meer informatie over doolhoven in België en Nederland kan je steeds terecht bij de Stichting Doolhof en Labyrint op www.doolhoven.nl.

Het origineel…

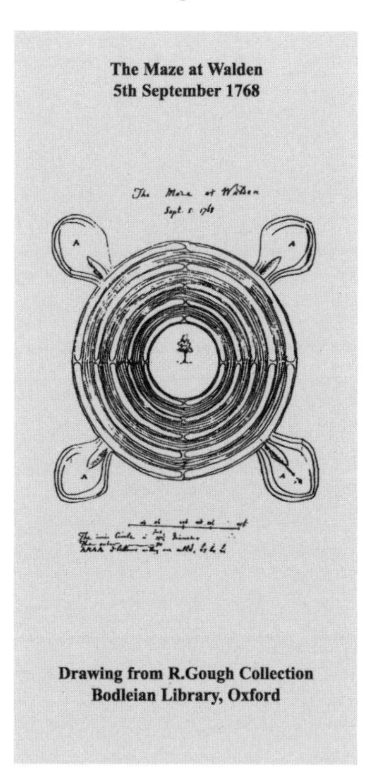

…en de 'nieuwe versie', aangelegd in 1986.

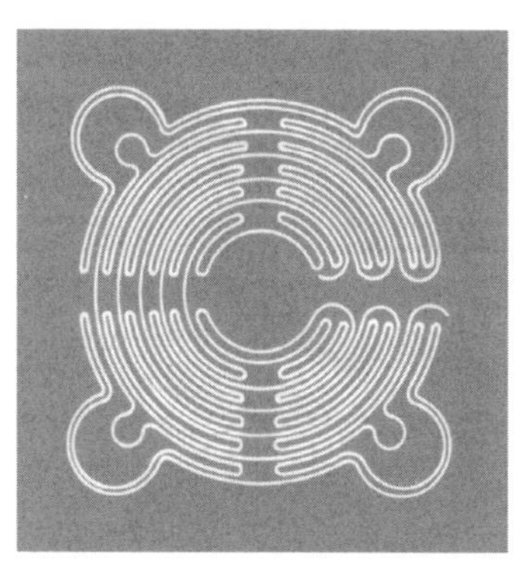

Een woordje uitleg over Child Focus

Child Focus werd opgericht in juli 1997, een klein jaar na de Witte Mars, een massale optocht van de bevolking als reactie op de misdaden van Marc Dutroux en de gebrekkige aanpak ervan door de overheid.
De organisatie kent twee duidelijk afgebakende actieterreinen: de verdwijning van kinderen en het seksueel misbruik van kinderen. In beide gevallen houdt Child Focus zich zowel bezig met preventie als met de feitelijke aanpak van het probleem. Erg belangrijk daarbij is hun telefoonnummer 110, dat dag en nacht gratis bereikbaar is in de drie verschillende landstalen. Op dat nummer kunnen zowel meldingen van verdwijningen of van seksueel misbruik doorgegeven worden als getuigenissen.

Daarnaast ondersteunt Child Focus ouders of naasten van kinderen in nood. Specialisten, waaronder psychologen en criminologen, staan ter beschikking om de ouders te informeren en hen ook te helpen overeind te blijven tijdens het drama dat ze beleven. Soms dragen de specialisten ook bij tot de oplossing.

Het bekendste bij de bevolking zijn de Child Focus-affiches. Vrijwilligers verspreiden die affiches in winkels, maar er bestaan ook samenwerkingsverbanden, onder meer met supermarktketens en met het openbaar vervoer. Zo kan er snel en efficiënt in heel België geafficheerd worden wanneer nodig.

Wat biedt Child Focus 24 uur op 24 aan?

- Het gratis noodnummer: 110
- Een burgerlijk meldpunt tegen kinderporno op het internet: www.childfocus-net-alert.be
- Een website met tips voor veilig internet voor kinderen, jongeren, ouders en leerkrachten: www.clicksafe.be
- Een website met informatie en gegevens over verdwenen kinderen: www.childfocus.be
- Het professionele beheer van dossiers van verdwijning of seksuele uitbuiting
- Omkadering en opvolging van de slachtoffers en hun ouders
- Productie en verspreiding van affiches en vignetten
- Een lokaal inzetbare interventiewagen, om bijvoorbeeld plaatselijk affiches te kunnen drukken
- Een nauwe samenwerking met politie en gerecht
- Doorverwijzing naar welzijns- en hulpdiensten (en erop toezien dat die hulp er effectief komt)
- Een netwerk van 2 000 vrijwilligers
- Een internationaal netwerk, in samenwerking met gelijkaardige organisaties in het buitenland
- Permanente communicatie met dagbladen, radio en TV

Child Focus opent elk jaar meer dan 2 000 nieuwe verdwijningdossiers, waarbij ongeveer 2 300 kinderen betrokken zijn. De omstandigheden verschillen van geval tot geval. In bijna twee derde van de gevallen gaat het om kinderen en jongeren die bewust weglopen, zoals de personages in dit boek. Elk jaar zijn er enkele honderden kinderen die door een ouder naar het buitenland worden ontvoerd, tegen de zin van de andere ouder en de rechterlijke beslissing in. Verder gaat het in een beperkt aantal gevallen om niet-begeleide minderjarigen (assielzoekers of jongeren zonder papieren uit Afrika, Azië of Oost-

Europa). Een heel beperkt aantal gevallen tenslotte zijn daadwerkelijke criminele ontvoeringen. Vooral deze laatste halen de media, vanwege hun spectaculaire karakter.
Nagenoeg een derde van de verdwijningdossiers kunnen na één dag al worden afgesloten omdat het kind weer terecht is. Een week na hun verdwijning zijn vier op de vijf kinderen teruggevonden. Ook de ontvoeringen naar het buitenland door ouders worden in de meeste gevallen bevredigend opgelost. Slechts één kind op driehonderd blijft zes maanden of langer zoek.
Wie nog meer informatie wil, kan steeds terecht op de overkoepelende website: www.childfocus.be

Een woordje uitleg over de Hulplijn Vermiste Personen

In Nederland biedt de Hulplijn Vermisten Personen van het Nederlandse Rode Kruis:

- een luisterend oor
- informatie en advies voor achterblijvers
- praktische en emotionele ondersteuning zolang de vermissing duurt
- een betrouwbaar en neutraal adres voor achterblijvers én vermisten

Het Meldpunt is er ook voor mensen die vermist worden. Wie vermist is maar niet gevonden wil worden, kan contact opnemen. Het Meldpunt laat dan aan verwanten weten dat de vermiste het goed maakt zonder zijn of haar verblijfplaats door te geven.

Het Meldpunt is 24 uur per dag en 7 dagen per week
telefonisch bereikbaar via het gratis telefoonnummer 0800-8376478 [0800-VERMIST]. Internationaal: 0031-70-4455618 en per email op: vermistepersonen@redcross.nl.

Wie meer info wil, kan steeds terecht op www.vermistepersonen.nl.

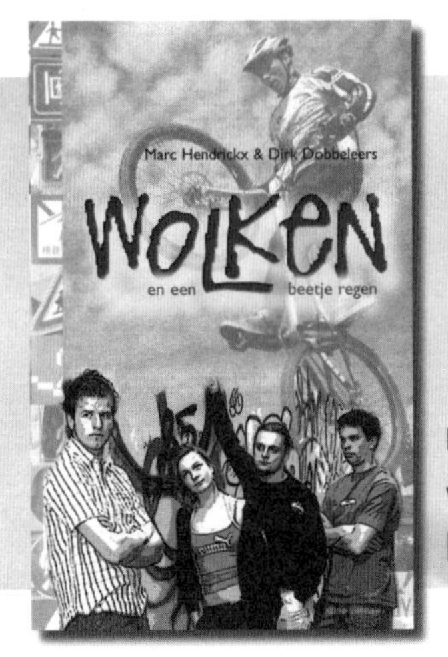

Wolken en een beetje regen

Het vorige succesboek en theaterstuk
van Dirk Dobbeleers en Marc Hendrickx.
[vanaf 12 jaar]

'Hij is het, Jasna!'
'Ik weet het niet. Die jongen kan overal vandaan komen.'
'Mama zei gisteravond dat de familie De Laet nieuwe buren heeft, en er is een jongen van onze leeftijd bij.'
Jasna wil niet discussiëren. Kon ze zijn gezicht maar zien!
Als op commando neemt Brent zijn helm af. Jasna en Ilse kijken aandachtig.
Het spektakel op de ramp loopt ten einde. Brent zet zijn helm weer op en wil het plein verlaten. Hij passeert het pleintjesvolk en knikt hen vriendelijk toe. Anke, Rutger en Benjamin zijn verbaasd. Ilse en Jasna giechelen. Dan is de mysterieuze vreemdeling verdwenen.'

In ***Wolken en een beetje regen*** hebben enkele jongeren de pest aan wetten en voorschriften. Zij maken hun eigen regels, op school en in het verkeer. De meerderheid laat rustig begaan. Zo gaat het al enige tijd, tot Brent Bauwens hun wijk en leven binnenfietst.
Tegen een achtergrond van BMX-cross, graffiti, hardcore, skaten en boosters ontvouwt 'Wolken en een beetje regen' zich als een modern drama dat letterlijk iedereen kan overkomen.